L'ANNÉE DU CE1

Français

ORTHOGRAPHE GRAMMAIRE CONJUGAISON VOCABULAIRE

Auteurs
Nicole Constant
Dominique Germa

Illustrations
Patrick Chenot

papier 100% recyclé

Bordas

www.annees-de.fr

FICHE 1 La phrase

Je retiens

? Je suis un ensemble de phrases et je raconte une histoire. Que suis-je ?

Réponse : un texte.

- Une phrase est un ensemble de mots qui a **un sens**. Elle commence par **une majuscule** et se termine toujours par **un point**. La fillette regarde les nuages.
- Une phrase **interrogative** pose une question. Que regarde-t-elle ?
Une phrase **exclamative** exprime la surprise, la joie, un ordre ou un regret. Quel beau ciel !
Une phrase **déclarative** décrit ou explique quelque chose. La fillette regarde les nuages.

Je m'entraîne

1 ★ Barre les ensembles de mots qui ne sont pas des phrases.

- Robin maison ne.
- il pas à la
- Elle joue avec son chat.
- Pourquoi mange ?
- Non, ne fais pas cela.

2 ★ Construis une phrase avec les éléments suivants.

- donnent | au | Les | à | chat | enfants | . | manger

....

....

- tu | élégante | es | Comme | !

....

3 ★★ Place les points qui manquent.

Émile et Alice sont dans le même CE1 Ils mangent tous les jours à la cantine Hier, ils n'ont pas pu manger à la même table Ils étaient tristes

4 ★★ Entoure les lettres à écrire en majuscule.

aujourd'hui nous allons à la piscine. la maîtresse est en colère car Clément a encore oublié son maillot de bain. c'est la troisième fois ! le maître nageur s'occupe des débutants. toutes les filles de la classe savent déjà nager. parmi les garçons, Hugo et Lucas ont leur super têtard.

5 ★★★ Réponds aux questions par des phrases en te servant de ce qui est proposé entre parenthèses.

- Que mange-t-il ?
(du pain) Il .... du pain.
- Où va le garçon ?
(à l'école) ....
- Qui parle si fort ?
(Léo) C'est ....
- Quand pars-tu ?
(demain) Je ....

Corrigés p. 6 du *Guide parents*

Je complète puis j'entoure ma médaille

J'ai ...... exercice(s) réussi(s) ...... exercice(s) presque réussi(s) ...... exercice(s) non réussi(s)

FICHE 2 La ponctuation

Je retiens

Pour placer correctement les virgules, observe où tu prends ta respiration quand tu dis la phrase.

- La **ponctuation** est l'ensemble des signes qui permettent de comprendre un texte.
  Le **point** termine une phrase déclarative. Côme chante.
  Le **point d'interrogation** termine une phrase interrogative.
  Que chante-t-il ?
  Le **point d'exclamation** termine une phrase exclamative.
  Quelle belle voix !
- La **virgule** sert à marquer une pause dans la phrase.
  Quand il est debout, il chante encore mieux.
- Les **deux points** annoncent une énumération ou une explication.
  Il a trois passions : le piano, le dessin et la natation.
  Il est mélomane : il aime la musique.

Je m'entraîne

1 ★ Encadre les signes de ponctuation.

Léo et Antonin ont mis leurs chemises blanches : ce soir, ils donnent un concert avec leur orchestre. Qu'ils sont beaux, ces garçons ! Mais où sont leurs cravates ?

2 ★ Complète les phrases par , ou :.

Hugo n'a vu ni Robin ◯ ni Lucas.
Elsa ◯ Margot et leurs cousins vont se coucher.
Louise pleure ◯ elle a perdu sa poupée.

3 ★★ Relie.

Chante •	• m'accompagner au concert ?
Est-ce que •	• plus fort !
Il sait jouer de la harpe, •	• du tuba et du trombone.
Veux-tu •	• nous partirons ensemble ?

4 ★★★ Choisis le bon signe de ponctuation : . , ? ! :

Quelle fête magnifique ◯
Pour le bal ◯ Zoé a invité six enfants ◯ trois garçons et trois filles ◯
Elle a choisi des valses ◯ des polkas et des tangos ◯
Qui lui a appris à danser aussi bien ◯
C'est son oncle ◯

Corrigés p. 6 du Guide parents

Je complète puis j'entoure ma médaille

J'ai ...... exercice(s) réussi(s) ...... exercice(s) presque réussi(s) ...... exercice(s) non réussi(s)

FICHE 3 Le nom

Je retiens

• Si tu vois un nom avec une majuscule, c'est un nom propre.
• Si tu peux mettre un ou une devant un nom, il s'agit d'un nom commun.

• Un **nom** est un **mot** qui désigne une personne, un animal ou une chose. frère, rhinocéros, feuille

• Il existe **deux grandes familles de noms** :
– les noms **propres** qui commencent par une majuscule pour nommer des personnes, des pays, des villes, des fêtes...
Marion, Amérique, Lille, Noël
– les autres noms qui sont des noms **communs**.

Je m'entraîne

1 ★ Écris ce que désigne chaque ensemble de noms communs : une personne, un animal ou une chose ?

marteau manteau assiette avion	agricultrice coiffeur infirmière boucher	verre brouette stylo soleil	limace tourterelle sauterelle baleine ....

2 ★★ Entoure en bleu les noms propres et en rouge les noms communs.

mammifère Maxime Afrique école Pâques Himalaya éclair fleuriste

3 ★★ Complète à l'aide d'un nom propre ou d'un nom commun.

- Le .... aboie dès que quelqu'un passe le long de la haie.
- La capitale de la France est ....
- Quand il fait froid, il allume un .... dans la cheminée.

4 ★★★ Remplis la grille et tu découvriras un nom propre dans les cases colorées.

① 
② 
③ 
④ 
⑤ 

①							
②							
③							
④							
⑤							

Nom propre de ville : ....

Corrigés p. 6 du Guide parents

Je complète puis j'entoure ma médaille

J'ai ...... exercice(s) réussi(s) ...... exercice(s) presque réussi(s) ...... exercice(s) non réussi(s)

GRAMMAIRE CONJUGAISON ORTHOGRAPHE VOCABULAIRE

FICHE 4 Le groupe nominal (GN)

Je retiens

Nous sommes quatre dans **médicament**. Qui sommes-nous ?

Réponse : les syllabes.

- Un **groupe nominal (GN)** peut être composé :
  – d'un **nom**, Aurélien
  – d'un **déterminant** et un **nom**, un hélicoptère
  – d'un **déterminant**, un **nom** et un ou plusieurs **adjectifs qualificatifs**. les gros nuages noirs
- Dans chaque GN, il y a un nom qui ne peut pas être supprimé : c'est le **chef du groupe**.
  l'énorme **requin** blanc

Je m'entraîne

1 ★ Écris à l'aide d'un GN le plus précis possible ce que représente chaque dessin.

....

....

....

....

2 ★ Relie les mots pour former un GN.

des •	• planches •	• camionnette
la •	• camion •	• vert
une •	• petite •	• à roulettes
le •	• voiture •	• de course

3 ★★ Entoure les GN.

Rémi examine les reptiles. Plus loin, des lions affamés somnolent. Un gardien nourrit des perroquets multicolores. Cette visite au zoo est impressionnante.

4 ★★ Choisis le chef du groupe qui convient.

lutins – ogre – princesse – champignon – porte

un .... méchant

les petits .... capricieux

le .... vénéneux

l'adorable ....

la .... magique

5 ★★★ Souligne, dans chaque GN, le chef du groupe.

la bouée de sauvetage – des petits poissons
les vieux filets troués – un bateau à voiles
des casiers à crabes – une canne à pêche
un canot à moteur – le gardien du phare

6 ★★★ Complète les GN avec les déterminants et adjectifs suivants :

l'– grandes – les – la – atlantique – entier – le – un – doux – première

Cet été, Quentin a vu ...... océan .... pour .... fois. Il a adoré .... vagues et ...... sable ....

Corrigés p. 6 du *Guide parents*

Je complète puis j'entoure ma médaille

J'ai ...... exercice(s) réussi(s) ...... exercice(s) presque réussi(s) ...... exercice(s) non réussi(s)

FICHE 5 Le verbe

Je retiens

Quand on pose une question, le verbe est placé avant le sujet.
Pouvez-vous venir ?

- Le verbe est un mot qui indique une **action** ou un **état** .
  Théo **dessine** un dinosaure. Son dessin **est** très réussi.
  (action) (état)
- Chaque verbe est désigné par son **infinitif**. dessiner, être...
- Pour trouver l'infinitif d'un verbe, tu peux utiliser l'expression « en train de » : Elle **pleure**. Elle est en train de **pleurer**.
  verbe conjugué verbe à l'infinitif

Je m'entraîne

1 ★ Encadre les verbes.

- Elle travaille.
- Vous parlez trop fort.
- Le chien tire sur sa laisse.
- Ils sont très aimables.
- Nous marchons en file indienne.
- Pourquoi trembles-tu ?
- On n'est pas d'accord.

2 ★ Entoure les 6 verbes à l'infinitif cachés dans la grille.

↓ →

F	I	N	I	R
A	E	A	R	Ê
I	T	G	I	V
R	R	E	R	E
E	E	R	E	R

3 ★★ Relie le verbe conjugué à son infinitif.

Les enfants jouent dans le sable. •	• griffer
Le chat t'a griffé. •	• lire
Sa blessure guérira vite. •	• jouer
Je lisais une histoire. •	• guérir

4 ★★ Place les verbes suivants :

dit – est – ira – tombe – a – devient

La fièvre de Martin ne .... pas. Sa maman .... très inquiète. Elle .... toute blanche quand le médecin lui .... que son fils .... la rougeole. Elle .... à la pharmacie chercher les médicaments.

5 ★★★ Complète avec le verbe juste.

- Elle est ordonnée : chaque jour, elle .... sa chambre.
- Tu vas maigrir si tu ne .... rien !
- Ce garçon .... comme un poisson.
- Il faut appeler les pompiers : la maison .... !
- C'est ton tour, tu peux .... le dé.

Corrigés p. 7 du Guide parents

Je complète puis j'entoure ma médaille

J'ai ...... exercice(s) réussi(s) ...... exercice(s) presque réussi(s) ...... exercice(s) non réussi(s)

FICHE 6 La route du temps

Je retiens

> Dans la mythologie grecque, voici la devinette proposée à Œdipe par le Sphinx :
> Le matin, j'ai quatre pattes, à midi j'ai deux pattes et le soir j'en ai trois.
> **Qui suis-je ?**
> Réponse : l'homme.

- Le **temps** est partagé en trois grandes périodes :

ce qui s'est passé	ce qui se passe	ce qui se passera
avant	**en ce moment**	**plus tard**
le **PASSÉ**	le **PRÉSENT**	le **FUTUR**

- Une **phrase** peut s'écrire au temps **passé**, au temps **présent** ou au temps **futur**, ce qui permet de comprendre l'ordre de l'histoire.

Avant-hier il a beaucoup plu. **Aujourd'hui,** il fait très chaud. **Dans quelques jours**, nous trouverons peut-être des champignons.

Je m'entraîne

1 ★ Place les mots ou groupes de mots suivants sur la route du temps :

aujourd'hui – demain – hier – il y a 100 ans – maintenant – le mois prochain

passé	présent	futur
....	....	....
....	....	....

2 ★ Écris en face de chaque phrase s'il s'agit du présent, du passé ou du futur.

- Le train arrivera dans deux heures. ....
- Aujourd'hui, Madeleine est malade. ....
- Simon est déjà arrivé. ....
- Cet été, nous irons en Bretagne. ....

3 ★★ Complète les phrases avec les mots suivants :

aujourd'hui – la semaine dernière – après-demain – plus tard – il y a un deux minutes

- .... je serai vétérinaire.
- Le bébé est né .... , et il a déjà bien grossi.
- Bruno est arrivé ....

4 ★★ Place les verbes conjugués.

a poussé – rappellent – a fait – évaluera – a

Aujourd'hui, Rémi n'............... pas envie d'aller à la piscine. La dernière fois, Sébastien l'....................... dans l'eau, ce qui .... rire toute la classe. Mais les parents de Rémi .... à leur fils que le maître nageur les .... la semaine prochaine.

Corrigés p. 7 du *Guide parents*

Je complète puis j'entoure ma médaille

J'ai ...... exercice(s) réussi(s) ...... exercice(s) presque réussi(s) ...... exercice(s) non réussi(s)

GRAMMAIRE – CONJUGAISON – ORTHOGRAPHE – VOCABULAIRE

FICHE 7 Le sujet du verbe

Je retiens

Dans une phrase, tu peux facilement trouver le sujet et le verbe en utilisant la tournure **c'est… qui** ou **ce sont… qui**.
C'est le tonnerre qui gronde.
(sujet : le tonnerre ; verbe : gronde)
Le sujet est encadré par **c'est… qui**.

- Le **sujet du verbe** est le mot ou le groupe de mots qui indique qui fait l'action. **Le bûcheron** coupe l'arbre.
  (sujet : Le bûcheron ; verbe : coupe)

- Le **sujet** du verbe peut être :
  – un **nom propre**, **Emma** joue dehors.
  – un **GN**, **Le tonnerre** gronde.
  – un **pronom**. **Il** gronde.

Je m'entraîne

1 ★ **Récris les phrases pour trouver le sujet.**

- Marie observe les têtards. C'est .... qui ....
- Les grenouilles sautent sur les galets. Ce sont .... qui ....

2 ★ **Classe les sujets dans le tableau.**

Noé adore aller à la pêche. **Il** attrape souvent des truites. **Jules** préfère chasser les papillons. **Les deux enfants** vont chaque été en Bretagne. **Ils** se promènent des heures en vélo. À chaque sortie, **le chien** les accompagne. Parfois, **Noé** s'arrête pour cueillir de la bruyère. **Jules et lui** aiment rapporter des fleurs à leurs mamans.

nom propre	....
GN sujet	....
pronom	....

3 ★★ **Souligne le verbe qui s'accorde avec chaque sujet.**

Dans son jardin, **Marion** a trouvé des escargots. **Ces animaux** se nourrissent de végétaux. **Ils** enterrent leurs œufs.

4 ★★ **Trouve le sujet qui manque, sans oublier la majuscule.**

- .... vole.

- .... nage.

- .... rampe.

- .... saute.

- .... se dandine.

5 ★★★ **Entoure le sujet du verbe.**

En fin d'après-midi, le vent **se lève**. Le chien **rentre** vite dans sa niche. Derrière la fenêtre, les enfants **regardent** la tempête.

Corrigés p. 7 du *Guide parents*

Je complète puis j'entoure ma médaille

J'ai ...... exercice(s) réussi(s) ...... exercice(s) presque réussi(s) ...... exercice(s) non réussi(s)

FICHE 8 Les pronoms personnels sujet

Je retiens

! Le pronom personnel sujet peut être placé avant le verbe (nous courons) ou après, s'il s'agit d'une question (Pourquoi courons-nous ?).

- Les **pronoms personnels** sujet sont des mots qui **remplacent les GN sujet**. **Le cheval** galope. → **Il** galope.
  GN sujet — pronom personnel sujet
- On emploie **je** ou **nous** pour désigner **les personnes qui parlent**. On emploie **tu** ou **vous** pour désigner **les personnes à qui l'on parle. Il** ou **elle** remplacent des noms au **singulier**.
  Leïla s'est endormie. → **Elle** s'est endormie.
  Ils ou **elles** remplacent des noms au **pluriel**.
  Yves et Isabelle jardinent. → **Ils** jardinent.

Je m'entraîne

1 ★ Associe les paroles qui se répondent.

1. Où vas-tu avec Manon ?
2. Que fait Arthur ?
3. Est-ce que je pourrai vous accompagner ?

a. Je vais au marché.
b. Non, tu n'as pas le droit !
c. Nous allons au square.
d. Il se repose.

1. ..... 2. ..... 3. .....

2 ★ Colorie de la même couleur le pronom personnel et le GN qu'il peut remplacer :

le manège — elle — la grande roue — les adultes — il — ils

3 ★★ Relie.

Elle •	• donnons nos tickets.
Où vas- •	• mange une glace.
Comment allez- •	• tu ?
Nous •	• vous ?

4 ★★ Remplace les GN entre parenthèses par des pronoms personnels.

(Lucie) .... est déguisée en fée. **(Victor)** .... porte une cape. **(Marie et Juliette)** .... sont maquillées. **(Jeanne et toi)** .... mangez une gaufre. **(Charles et moi)** .... préférons les crêpes.

5 ★★★ Complète les réponses aux questions par des pronoms personnels sujet.

- De quelle couleur est sa robe ? .... est rouge.
- Que fais-tu ? .... me repose.
- À quoi rêvez-vous ? .... pensons aux vacances.
- D'où vient ce chapeau ? .... est à mon frère.
- Où sont Robin et Alexandre ? .... sont à la patinoire.
- Pourquoi sont-ils partis ? .... sont partis pour prendre leur train.

Corrigés p. 7 du Guide parents

Je complète puis j'entoure ma médaille

J'ai ...... exercice(s) réussi(s) — ...... exercice(s) presque réussi(s) — ...... exercice(s) non réussi(s)

FICHE 9 Test d'évaluation

Pour bien réussir ton test de révision :
- lis attentivement la consigne de l'exercice ;
- applique ce que tu as appris ;
- réponds en soignant ton écriture.

1 Souligne en bleu les phrases déclaratives, en vert les interrogatives et en rouge les exclamatives.

- Où se trouve le prochain refuge ?
- Quel temps magnifique !
- J'ai pu observer un troupeau de chamois avec mes jumelles.
- Dans quelle direction vas-tu ?
- Elle adore marcher sous la pluie.
- Regarde devant toi !

....../3

2 Relie.

	• Rose
	• plombier
nom propre •	• herbe
	• Londres
nom commun •	• ouistiti
	• Martinique

....../3

3 Reconstitue les deux GN et souligne le chef de chaque groupe.

belle | un | journée | petit | une | ensoleillée | en bois | hangar

- ....
- ....

....../4

4 Termine les phrases par . , ! ou ?.

- Arrête de courir ◯
- Pourquoi cries-tu ◯
- J'ai mal aux pieds ◯
- Cette promenade plaît beaucoup aux enfants ◯
- Où mène ce sentier ◯
- Que de monde ici ◯

....../3

5 Écris les infinitifs des verbes conjugués.

- Je **rêve** de vacances au bord de la mer. ....
- À partir de midi, il **baille** sans cesse. ....
- Demain, Clara **réunira** toute sa famille. ....
- Émile et Alice **aiment** faire des cabanes. ....
- Tu **réagis** bien en cas de problème. ....
- **Aide**-moi ! ....

....../3

6 Entoure les sujets des verbes en gras.

- Aujourd'hui, je ne **travaille** pas.
- Au mois d'août, les dahlias **fleurissent** au milieu des plants de tomates.
- Pourquoi **marchez**-vous si vite ?
- Paul **ouvre** ses volets vers 9 heures.
- Ce soir, Lise et Benoît **mangent** à la maison.
- Mais tu **es** encore en retard !
- Anne et moi **sommes arrivées** avant lui.
- La maison **sent** bon le feu de cheminée.

....../4

Corrigés p. 7 du *Guide parents*

FICHE 10 Le passé, le présent et le futur

Je retiens

Pour savoir si un verbe est au passé, présent ou futur, utilise **hier**, **aujourd'hui** ou **demain**.
Hier, il **a joué**. (passé)
Aujourd'hui, il **joue**. (présent)
Demain, il **jouera**. (futur)

Un verbe peut être conjugué à un temps du passé, au présent ou au futur. **Sa forme change** avec le temps.

- Le **passé**, c'est ce qui **s'est passé avant**.
L'année dernière, il **a visité** la Norvège.
- Le **présent**, c'est ce qui **se passe maintenant**.
En ce moment, il **fait** une croisière en Égypte.
- Le **futur**, c'est ce qui **se passera plus tard**.
L'année prochaine, il **traversera** l'Allemagne en vélo.

Je m'entraîne

1 ★ **Barre l'intrus.**

- Elle joue. – Il grandit. – Elle s'amuse. – Il a oublié.
- Tu regarderas. – Tu finiras. – Tu t'ennuies. – Tu te reposeras.
- J'ai sauté. – Je chante. – Je me suis trompée. – Je suis tombée.

2 ★★ **Noircis ce qui ne convient pas.**

- Après-demain, il **(a invité/invitera)** tous ses cousins à son anniversaire.
- Elle **(s'est cassé/se casse)** la jambe droite il y a quatre jours.
- L'année prochaine, elles **(rentrent/rentreront)** au collège Victor Hugo.
- En ce moment, elle **(s'est reposée/se repose)** dans sa chambre.
- Avant-hier, il **(termine/a terminé)** sa maquette du bateau de corsaire.

3 ★★★ **Choisis les formes des verbes manger et finir qui conviennent :**

a mangé – a fini – finit – mange – mangera

Hier, Simon .... son assiette le premier. Aujourd'hui, c'est Alice qui .... la première. Demain, Alice .... à la cantine. Aujourd'hui elle .... chez Simon. La semaine dernière déjà, elle .... chez lui. L'année prochaine, elle .... tous les jours chez elle. Simon, lui, ... à la cantine.

Corrigés p. 8 du *Guide parents*

Je complète puis j'entoure ma médaille

J'ai ...... exercice(s) réussi(s) ...... exercice(s) presque réussi(s) ...... exercice(s) non réussi(s)

FICHE 11 Le présent : verbes comme chanter

Je retiens

Quand le sujet est **tu**, un verbe comme **chanter** se termine toujours par un **s**.
Tu nages bien !
Pourquoi pleures-tu ?
Tu n'aimes pas prendre le car.

• Les verbes comme chanter (1er groupe) ont tous la même conjugaison, **sauf le verbe aller**.

Je	chante	nous	chant**ons**
Tu	chante**s**	vous	chant**ez**
Il, elle, on	chante	ils, elles	chant**ent**

Je m'entraîne

1 ★ Colorie les verbes du 1er groupe.

lire — sauter — se disputer
rêver — voyager — réfléchir

2 ★ Réponds en utilisant le pronom qui convient.

- Que dessines-tu ? .... dessine un monstre.
- Que mange Pauline ? .... mange un flan.
- Que copient les enfants ? .... copient une recette.
- Que regardez-vous ? .... regardons les étoiles.

3 ★★ Relie.

Tu •	• cherchez le chien.
Je •	• allaite le lionceau.
Louis •	• préparons le repas.
Lisa et Théo •	• écoute de la musique.
Elsa et toi •	• jouent aux billes.
Robin et moi •	• adores danser.
La lionne •	• pense à toi.

4 ★★★ Complète avec les terminaisons du présent.

Nous admir..... tous sa voix. Il chant..... très bien. « Tu me donn..... envie de danser ! » dit la maîtresse. « Et si nous allions dans la salle de jeux ? Pendant que je ferm..... la classe, vous rang..... vos affaires dans les casiers. »

5 ★★★ Conjugue au présent les verbes suivants :

travailler – décorer – inviter – manger – aider – préférer

- Pour Noël, nous .... toute la maison.
- Elles .... regarder la télévision plutôt que d'aller se promener.
- Pourquoi ....- tu toujours les mêmes amis ?
- La mère d'Émile .... dans un magasin de jouets.
- Chaque dimanche, j'........................ mon père à bricoler.
- Vous ne .... pas de sucreries.

Corrigés p. 8 du *Guide parents*

Je complète puis j'entoure ma médaille

J'ai ..... exercice(s) réussi(s) — ..... exercice(s) presque réussi(s) — ..... exercice(s) non réussi(s)

Le présent : verbes comme finir

Remplir, grossir, ralentir, envahir, choisir, salir, obéir, guérir sont des verbes du 2e groupe.
Nous remplissons nos gourdes.
Les pucerons envahissent les plantations.

Je retiens

- Les verbes comme **finir** (2e groupe) ont tous la même conjugaison.

je	fin**is**	nous	fin**issons**
tu	fin**is**	vous	fin**issez**
il, elle, on	fin**it**	ils, elles	fin**issent**

Je m'entraîne

1 ★ Trouve les verbes du 2e groupe.

Devenir de plus en plus grand :

G _ _ _ _ _ _

Devenir rouge :

R _ _ _ _ _

Devenir jaune :

J _ _ _ _ _

Donner à manger :

N _ _ _ _ _ _

Mettre un garniture :

G _ _ _ _ _

2 ★ Choisis le sujet qui convient.

Juliette – les fruits – Je – nous – vous – tu

« Aujourd'hui, ... finissons la cueillette, car .... pourrissent vite, dit Juliette. .... remplis la caisse rouge pendant que .... remplissez la caisse verte. Toi, Gustave, ... remplis le panier en osier ». À la tombée de la nuit, ... réunit tout le monde pour un repas bien mérité.

3 ★★ Reconstitue les 3 phrases :

Les potirons | remplis | ralentit. | grossissent. | Je | La voiture | la gourde.

- ....
- ....
- ....

4 ★★★ Écris les terminaisons qui manquent.

Ils élarg.......... le chemin. Nous bât.......... un nouvel abri de jardin. L'herbe jaun.......... . Je nourr.......... les lapins. Jean-François et toi obé.......... aux ordres du paysan.

5 ★★★ Conjugue les verbes suivants :

choisir – salir – bondir – punir – atterrir

Carla et moi .... hors de nos lits : un avion .... dans le pré de nos grands-parents ! « Pourquoi .... -tu notre terrain pour poser ton engin ? » crie ma grand-mère au pilote. Puis elle nous dit : « Et vous, vous .... mes vitres avec vos mains sales. Je vous .... ! »

Corrigés p. 8 du *Guide parents*

Je complète puis j'entoure ma médaille

J'ai ...... exercice(s) réussi(s) ...... exercice(s) presque réussi(s) ...... exercice(s) non réussi(s)

FICHE 13 Le présent : aller, faire et dire

Hier nous étions dimanche. Demain, j'irai à la piscine. Quel jour serons-nous ?

Réponse : mardi.

Je retiens

aller		faire		dire	
je	**vais**	je	**fais**	je	**dis**
tu	**vas**	tu	**fais**	tu	**dis**
il, elle, on	**va**	il, elle, on	**fait**	il, elle, on	**dit**
nous	**allons**	nous	**faisons**	nous	**disons**
vous	**allez**	vous	**faites**	vous	**dites**
ils, elles	**vont**	ils, elles	**font**	ils, elles	**disent**

Je m'entraîne

1 ★ Souligne en rouge le verbe aller, en bleu faire et en vert dire.

Nous allons au musée. Vous faites la queue. Je dis mon âge. Tu vas dans la première salle. Ils font le tour de l'exposition. Elles disent qu'elles adorent ce peintre.

2 ★ Trouve les pronoms manquants.

.... dit que ses parents sont anxieux. Je crois qu'.......... vont à la boulangerie. Ce soir, ... vais chez une amie. .... faisons un gâteau pour son anniversaire.

3 ★★ Conjugue les verbes proposés.

(aller) Chaque lundi, Julien et son frère .... à leur cours de peinture. **(faire – dire)** « Tu .... des progrès Julien, ... un jour le professeur. **(faire)** À partir d'aujourd'hui, je .... deux groupes. **(dire)** Vous me .... si vous êtes d'accord. »

4 ★★ Relie.

Jules et Marie •	• vais mieux.
Je •	• font aussi de la peinture.
Marianne •	• dit qu'elle va rentrer.
	• dis quand je partirai.

5 ★★★ Place les verbes aller, faire ou dire au présent.

Quand je .... à Paris chez ma cousine, nous .... toujours au Louvre. À chaque visite, elle me .... des commentaires sur un artiste différent. Aujourd'hui, je lui .... que je suis un peu fatiguée ; alors nous .... une halte à la librairie.

Corrigés p. 8 du *Guide parents*

Je complète puis j'entoure ma médaille

J'ai ..... exercice(s) réussi(s) ..... exercice(s) presque réussi(s) ..... exercice(s) non réussi(s)

FICHE 14 Le présent : être et avoir

Je retiens

Je suis un pronom personnel sujet en 3 lettres. Qui suis-je ?

Réponse : ils.

être		**avoir**	
je	suis	j'	ai
tu	es	tu	as
il, elle, on	est	il, elle, on	a
nous	sommes	nous	avons
vous	êtes	vous	avez
ils, elles	sont	ils, elles	ont

Je m'entraîne

1 ★ Remplis le tableau avec les formes conjuguées des verbes être et avoir.

Adrien et Antonin ont de la chance : leur mère est guide de haute montagne. Elle a un refuge dans le Queyras. Les marmottes sont habituées aux randonneurs. « Aujourd'hui, Adrien, tu es trop fatigué pour marcher ; tu as de grosses cernes sous les yeux ! »

être	avoir
....	....
....	....
....	....

2 ★ Associe.

1. Vincent et moi
2. Les écureuils
3. Aujourd'hui, on
4. Tu
5. Je
6. Baptiste et toi

a. suis la dernière.
b. a une corde neuve.
c. ont peur des milans.
d. êtes très agiles.
e. as un beau sac.
f. sommes peureux.

1. ..... 2. ..... 3. ..... 4. ..... 5. ..... 6. .....

3 ★★ Choisis le sujet qui convient.

elles – Les chamois – j' – vous – le rapace

- Parfois, ... ai le vertige.
- .... sont très agiles.
- Au loin, ... guette sa proie.
- Heureusement, ... ont une cape de pluie !
- Avez-.......... peur de la foudre ?

4 ★★ Transforme les phrases.

Je suis au refuge. → Nous .... au refuge.

Vous avez froid. → Tu ....

Elles sont dans le dortoir. → Elle ....
....

Nous avons faim. → J' ....

5 ★★★ Place les verbes être ou avoir qui manquent.

Le moniteur d'escalade .... raison : les prises ne .... pas difficiles. Le ciel .... clair. Nous .... tous nos lunettes. Les enfants .... des casques.

Corrigés p. 9 du *Guide parents*

Je complète puis j'entoure ma médaille

J'ai ...... exercice(s) réussi(s) ...... exercice(s) presque réussi(s) ...... exercice(s) non réussi(s)

Le passé composé (1)

Après demain, lundi, tu déjeuneras chez ton oncle.
Quel jour sommes-nous aujourd'hui ?

Réponse : samedi.

Je retiens

- Au **passé composé**, les verbes comme **chanter** et **finir** sont composés de deux mots :

l'auxiliaire **avoir** conjugué au présent + le participe passé du verbe

L'oiseau **a chanté**. Tu **as fini**.

chanter			**finir**		
j'	ai	chanté	j'	ai	fini
tu	as	chanté	tu	as	fini
il, elle, on	a	chanté	il, elle, on	a	fini
nous	avons	chanté	nous	avons	fini
vous	avez	chanté	vous	avez	fini
ils, elles	ont	chanté	ils, elles	ont	fini

Je m'entraîne

1 ★ Entoure les verbes conjugués au passé composé.

- La voiture a dépassé le cycliste.
- Il a klaxonné le piéton.
- Ce camion roule trop vite.
- Les phares ont ébloui le cerf.

2 ★ Relie.

Tu •	• ai fini.
On •	• a traversé.
Ils •	• as freiné.
Nous •	• ont doublé.
J' •	• avons atterri.

3 ★★ Conjugue les verbes au passé composé.

remercier Le maire .... ses électeurs.

ralentir Au croisement, nous ....

maigrir Ils .... pendant les vacances.

recommencer Vous .... la course à pied.

4 ★★ Complète le tableau suivant :

infinitif	présent	passé composé
chanter	tu	tu ....
....	je remercie	....
....	....	elles ont noirci
....	nous adorons	....

Corrigés p. 9 du *Guide parents*

Je complète puis j'entoure ma médaille

J'ai ...... exercice(s) réussi(s) ...... exercice(s) presque réussi(s) ...... exercice(s) non réussi(s)

FICHE 16 Le passé composé (2)

Je retiens

! **Rester**, **arriver**, **entrer** se conjuguent **toujours** comme **tomber**.
Rentrer, **monter**, **remonter** et **retourner** se conjuguent soit avec **être**, soit avec **avoir**.
Je **suis rentrée** tard.
J'**ai rentré** la voiture au garage.

• Au **passé composé**, le verbe **aller** et les verbes comme **tomber** sont composés de deux mots :

l'auxiliaire être conjugué au présent + le participe passé du verbe qui s'accorde avec le sujet

Ils sont allés à l'école. (masculin pluriel)

Zoé est tombée. (féminin singulier)

aller		
je	suis	allé(e)
tu	es	allé(e)
il, elle, on	est	allé(e)
nous	sommes	allé(e)s
vous	êtes	allé(e)s
ils, elles	sont	allé(e)s

tomber		
je	suis	tombé(e)
tu	es	tombé(e)
il, elle, on	est	tombé(e)
nous	sommes	tombé(e)s
vous	êtes	tombé(e)s
ils, elles	sont	tombé(e)s

Je m'entraîne

1 ★ **Entoure les verbes qui sont conjugués avec l'auxiliaire être.**

- Elle est remontée dans sa chambre.
- Tu as mangé dans le train.
- Nous sommes restés à la maison.
- Ils ont regardé le coucher de soleil.
- Vous avez marché très vite.
- Je suis rentrée en bus.
- Vous êtes allées au cinéma.

2 ★ **Retrouve les trois phrases qui se sont mélangées :**

Je | Vous | rentrés | tard.
Elle | êtes | suis | me promener.
restée debout. | est | allée

- ....
- ....
- ....

3 ★★ **Choisis les participes passés qui conviennent.**

entrés – allé – monté – rentrée – allés

Le funambule est .... sur le fil. Les chevaux sont .... au galop. La magicienne est .... dans la boîte. Nous sommes .... féliciter les acrobates. Tu es .... au cirque.

4 ★★★ **Transforme les phrases suivantes au passé composé.**

Le lion retourne dans sa cage. → Le lion .... dans sa cage.

Je reste pendant une heure. → ....
....

Elles arrivent en courant. → ....
....

Nous tombons d'accord. → ....
....

Corrigés p. 9 du *Guide parents*

Je complète puis j'entoure ma médaille

J'ai ...... exercice(s) réussi(s) ...... exercice(s) presque réussi(s) ...... exercice(s) non réussi(s)

Le passé composé (3)

Je retiens

Aujourd'hui, nous sommes lundi. Avant-hier, je suis allée à la bibliothèque.
Quel jour était-ce ?

Réponse : samedi.

être			**avoir**		
j'	ai	été	j'	ai	eu
tu	as	été	tu	as	eu
il, elle, on	a	été	il, elle, on	a	eu
nous	avons	été	nous	avons	eu
vous	avez	été	vous	avez	eu
ils, elles	ont	été	ils, elles	ont	eu

Je m'entraîne

1 ★ Barre l'intrus dans chaque phrase.

- J'ai (suis/été) ravie de venir.
- Quel jour as-tu (eu/été) absente ?
- Vraiment, nous avons (eu/été) de la chance !
- Ils (sont/ont) eu peur.

2 ★ Relie pour former une phrase.

Le bibliothécaire •	• ai eu un cadeau.
Les adultes •	• ont-ils été les premiers ?
J' •	• a été très heureux.
Tu •	• as eu chaud.
	• n'a pas eu beaucoup de travail.
	• ont eu une bonne surprise.

3 ★★ Choisis les participes passés des verbes être ou avoir.

Nous avons .... contents de découvrir la médiathèque. Ils n'ont pas .... le temps de lire. Avez-vous .... polis avec le bibliothécaire ? J'ai .... du mal à quitter le rayon des bandes dessinées. Tu as .... la bonne idée d'emprunter des disques.

4 ★★★ Réponds aux questions en utilisant les verbes être ou avoir au passé composé.

- Pourquoi a-t-elle pleuré ? **(faim)** Parce qu'elle .... faim.
- Pourquoi êtes-vous descendus du bateau? **(malades)**
  Parce que ....
- Pourquoi as-tu crié ? **(peur)** Parce que ....
- Pourquoi les enfants ont-ils eu un livre? **(sages)** ....
- Pourquoi n'es-tu pas restée en haut du donjon ? **(vertige)** ....

Corrigés p. 9 du *Guide parents*

Je complète puis j'entoure ma médaille

J'ai ...... exercice(s) réussi(s) ...... exercice(s) presque réussi(s) ...... exercice(s) non réussi(s)

FICHE 18 Le futur (1)

Je retiens

! Quand le sujet est **nous**, on entend [ɔ̃] à la fin du verbe et on lit **-ons**. (Sauf pour le verbe **être** au présent : nous **sommes**.)

- Les verbes comme **chanter** (1er groupe) et comme **finir** (2e groupe) ont tous la conjugaison suivante au futur :

je	chant**erai**	je	fin**irai**
tu	chant**eras**	tu	fin**iras**
il, elle, on	chant**era**	il, elle, on	fin**ira**
nous	chant**erons**	nous	fin**irons**
vous	chant**erez**	vous	fin**irez**
ils, elles	chant**eront**	ils, elles	fin**iront**

Je m'entraîne

1 ★ Colorie les verbes au futur.

nous chantons — je finirai — ils marcheront — elle choisit — vous envahirez

2 ★ Ajoute les pronoms qui conviennent.

Cette nuit, ... avanceront jusqu'au château. .... regarderai avec les jumelles. C'est promis, ... réagirons vite. .... choisira son camp. .... saliras sûrement tes bottes. .... chercherez les pièges.

3 ★★ Écris les terminaisons des verbes au futur.

Les chevaliers rang.......... leurs armures. Comme à chaque fois, tu roug.......... . Je te félicit.......... . Vous ne cri.......... pas trop fort. Il rempl.......... les cruches avec du jus de raisin.

4 ★★★ Construis quatre phrases avec les éléments proposés.

des vacances. | guériront. | au soleil. | Je | profitera | La pierre | deux couplets. | brillera | réciterai | Elles | On

- ....
- ....
- ....
- ....

5 ★★★ Complète avec les verbes suivants au futur :

franchir – pousser – présenter – obéir – donner – remplir

Demain, les chevaux .... les obstacles. Tu .... la porte de l'écurie. Il espère que la jument .... à la nouvelle cavalière. Ce soir, je .... les deux mangeoires. On vous .... le vétérinaire. Il vous .... des conseils pour soigner le poulain.

Corrigés p. 9 du *Guide parents*

Je complète puis j'entoure ma médaille

J'ai ...... exercice(s) réussi(s) ...... exercice(s) presque réussi(s) ...... exercice(s) non réussi(s)

FICHE 19 Le futur (2)

Je retiens

Je suis un petit signe souvent coincé entre le verbe et le sujet quand on pose une question. **Que suis-je ?**

Réponse : le tiret.

aller		faire		dire	
j'	irai	je	ferai	je	dirai
tu	iras	tu	feras	tu	diras
il, elle, on	ira	il, elle, on	fera	il, elle, on	dira
nous	irons	nous	ferons	nous	dirons
vous	irez	vous	ferez	vous	direz
ils, elles	iront	ils, elles	feront	ils, elles	diront

Je m'entraîne

1 ★ Relie.

	• iras à l'épicerie.
Tu •	• feront du bruit.
Ils •	• irons au bal.
Nous •	• fera du camping.
On •	• dirons un poème.
	• diront où elle est.

2 ★★ Choisis les sujets qui conviennent :

les passagers – Le contrôleur – la conductrice – Alice et moi

.... nous dira peut être de changer de place. À l'arrivée, ... iront chercher leurs bagages. .... dirons à Gaëlle l'heure de notre départ. .... fera un arrêt après le péage.

3 ★★ Conjugue au futur les verbes entre parenthèses.

(aller) Après-demain, tu .... à la gare routière. (faire) Je lui .... sa valise. (dire) Vous me .... ce que vous voulez manger demain soir. (aller) Elles .... au guichet. (dire) On lui .... où il doit aller.

4 ★★★ Complète les phrases avec le futur des verbes aller, faire ou dire.

- Que ....-vous pendant les prochaines vacances ?
- Où ....-elles après le déjeuner ?
- Je me demande si tu lui .... la vérité.
- Je .... une tarte au chocolat pour le goûter.
- Que ....-nous si tu pars ?
- Cet hiver, j'.............. à la montagne.

5 ★★★ Complète avec les verbes conjugués au futur.

aller – faire – dire – être – avoir

Nous .... une liste de tous nos invités. Vous nous .... qui .... là pour nous aider. J'.............. au marché la veille. Tu n'.............. pas à t'occuper des courses. Félix et toi .... sur le parking pour aider les personnes qui .... du mal à se garer. Marc .... le nécessaire pour que les enfants s'amusent.

Corrigés p. 10 du *Guide parents*

Je complète puis j'entoure ma médaille

J'ai ...... exercice(s) réussi(s) ...... exercice(s) presque réussi(s) ...... exercice(s) non réussi(s)

FICHE 20 Le futur (3)

Je retiens

! Quand le sujet est **vous**, on entend [e] à la fin du verbe et on lit **-ez**. (Sauf pour le verbe **être** au présent : vous **êtes**.)

être		avoir	
je	**serai**	j'	**aurai**
tu	**seras**	tu	**auras**
il, elle, on	**sera**	il, elle, on	**aura**
nous	**serons**	nous	**aurons**
vous	**serez**	vous	**aurez**
ils, elles	**seront**	ils, elles	**auront**

Je m'entraîne

1 ★ Encadre les formes conjuguées au futur des verbes être et avoir.

a aura a eu sera serons sont aurai ai ont été auront serez

2 ★ Place les pronoms qui conviennent.

.... aurai la réponse demain. .... seront sûrement ravies. Est-ce que .... aurez le temps de tailler la haie ? .... serons chez vous à midi. Quand seras-.......... libre ? .... n'aura pas son sac de piscine.

3 ★★ Associe.

1. Aurélien et moi — a. auras ce livre.
2. Les genêts — b. serons à l'entrée.
3. Demain vous — c. seront bientôt en fleur.
4. Plus tard, tu — d. aurez beau temps.
5. Je crois qu'elle — e. sera fatiguée.

1. ..... 2. ..... 3. ..... 4. ..... 5. .....

4 ★★ Récris les phrases au futur.

Vous avez trente minutes de repos. → Vous .... trente minutes de repos.
As-tu été gentille avec lui ? → ....
Ce gâteau a du succès. → ....
Les fourmis n'ont rien eu à manger. → ....

5 ★★★ Réponds aux questions en utilisant être ou avoir au futur.

- Où seras-tu demain ? .... chez des amis.
- Quel âge a-t-il ? .... cinq ans dans un mois.
- Pourquoi avez-vous prévu autant de bouteilles ? Avec cette chaleur, ... très soif.
- Est-ce qu'elles viendront en Bretagne ? Non, ... ne .... pas en vacances.
- Aurons-nous la chance de la voir ? Oui, ... présente.

Corrigés p. 10 du *Guide parents*

Je complète puis j'entoure ma médaille

J'ai ...... exercice(s) réussi(s) ...... exercice(s) presque réussi(s) ...... exercice(s) non réussi(s)

FICHE 21 Test d'évaluation

Inscris ta note

Pour bien réussir ton test de révision :
- lis attentivement la consigne de l'exercice ;
- applique ce que tu as appris ;
- réponds en soignant ton écriture.

1 Colorie en rouge les verbes qui se conjuguent comme chanter et en bleu ceux qui se conjuguent comme finir.

Elle [rame] particulièrement vite. Nous [réussissons] la traversée. Pourquoi [accélérez]-vous le rythme ? Ils ne [réagissent] pas vite ! J'[arrive] avec mes affaires de plongée. Marius [avertit] le moniteur qu'il a peur des algues.

……/3

2 Relie.

Tu •	• faisons la sieste.
Il •	• vais à la plage.
Nous •	• as de la crème sur le cou.
Je •	• dites des bêtises.
Vous •	• sont fatiguées.
J' •	• a de la chance.
Elles •	• allez mieux.
	• ai mal au cœur.

……/4

3 Conjugue les verbes au passé composé.

finir Pierre et Arthur ……………………………… leurs assiettes.
colorier Adèle ……………………………… la première page de son cahier de dessin.
salir J'……………………………… mon pantalon avec l'encre bleue.
acheter On ……………………………… une grande boîte de craies grasses.
noircir Vous ……………………………… la feuille avec du fusain.
apprécier Les adolescents ……………………………… le cours de sculpture.

……/3

4 Choisis le sujet.

Tu – Jérémy – Mathilde – Je – Étienne et toi – Nous

- ……………………………… est restée chez sa cousine.
- ……………………………… est tombé la tête la première dans le ruisseau.
- ……………………………… sommes rentrés avec le dernier métro.
- ……………………………… ne suis pas arrivée la dernière en classe.
- ……………………………… êtes entrés par la mauvaise porte.
- ……………………………… es monté au grenier en cachette.

……/6

5 Écris les terminaisons du futur.

- J'espère que Ninon et Léa ne vom………… pas dans le car.
- Margot fin………… peut-être par apprendre à plonger.
- Je les accompagn………… chaque matin à leur cours de voile.
- Tu retrouv………… sûrement ton ami de l'été dernier.

……/4

Corrigés p. 10 du *Guide parent*.

FICHE 22 Les accents

Je retiens

J'ai besoin d'un accent aigu et d'un accent grave pour aller à l'école.
Qui suis-je ?

Réponse : un élève.

aigu — grave — circonflexe — tréma

- Il existe quatre sortes d'accents : **aigu**, **grave**, **circonflexe** et **tréma**. On trouve ces quatre accents sur la lettre **e**.
éventail, lumière, rêve, Noël

- L'accent grave peut se trouver sur les lettres **a** et **u**.
Où es-tu ? Je suis là. Je vais à la piscine.

- L'accent circonflexe s'écrit aussi sur les lettres **a**, **i**, **o** et **u**.
château, dîner, côté, goûter

Je m'entraîne

1 ★ Recopie dans le tableau.

thé – là – où – âne – forêt – écoute

	`	^	´
je vois	....	....	....

2 ★ Nomme les accents :

arête : ....
poupée : ....
modèle : ....
maïs : ....

3 ★★ Écris les mois de l'année qui ont un accent :

- __ __ __ __
- __ __ __ __ __ __ __
- __ __ __ __ __ __ __ __

4 ★★ Place les accents.

la fete des meres – l'herbe du pre
la chevre au bord de l'etang
une regle d'orthographe
une enorme bete – l'epee de Zorro
la lettre au Pere Noel
la melee de rugby – la fumee de la cheminee
l'arete du poisson – la tete de la mule
de la farine et du cafe

5 ★★★ Complète certains mots avec des accents (trois accents aigus, un tréma, quatre accents circonflexes et deux accents graves).

Leo et Clara ont invite leurs amis pour le gouter. Ils ont pose boissons, galettes de mais et gateaux a la creme sur la table du jardin, sous le pecher. Attention, une guepe s'approche !

Corrigés p. 10 du *Guide parents*

Je complète puis j'entoure ma médaille

J'ai [.....] exercice(s) réussi(s) — [.....] exercice(s) presque réussi(s) — [.....] exercice(s) non réussi(s)

FICHE 23 L'apostrophe

Je retiens

Je suis un pronom personnel sujet qui s'écrit parfois avec une apostrophe. Qui suis-je ?

Réponse : Je/J'.

- L'**apostrophe** est un signe qui **remplace** les lettres **a** ou **e** devant un mot commençant par une **voyelle** ou parfois la lettre **h**.

l'image, **l'**oreiller, **l'**hippopotame

j'arrive, elle **s'**amuse, je **m'**ennuie, il **t'**obéit

je **n'**y vais pas, **c'**est vrai, **d'**accord

Je m'entraîne

1 ★ Place le, la ou l' devant chaque nom.

..... éléphant – ..... animal – ..... girafe

..... insecte – ..... rhinocéros – ..... otarie

..... panthère – ..... tigre

2 ★ Choisis ne ou n'.

- Nous ..... mangeons pas souvent des lentilles.
- Félix est très gourmand mais, aujourd'hui, il ..... a pas faim.
- Ils ..... entendent jamais quand on les appelle.
- Vous ..... irez pas au restaurant ce soir !

3 ★★ Relie.

	• herbe
	• hibou
le •	• hiver
la •	• hérisson
l' •	• hache
	• homme
	• hirondelle
	• heure

4 ★★★ Réponds aux questions.

- Pourquoi pleures-tu ?

aimer Parce que je .... pas les épinards.

- Que fais-tu ?

arroser .... les tomates.

- As-tu l'intention d'aller au cirque ?

y aller Oui, ...

- Veux-tu rentrer ?

s'amuser Non, ...

- Est-ce que tu continues à jouer ?

arrêter Non, ... de jouer.

5 ★★★ Complète les phrases.

Lola ..... intéresse beaucoup à ..... électricité. Mais, si elle continue à jouer avec ..... prise, ... ampoule, ... fil et ..... interrupteur, elle va finir à ..... hôpital ! Elle ..... est pas prudente, ... est vrai. Elle adore même regarder les éclairs dehors, pendant ..... orage. Ses parents ne sont pas ..... accord mais elle ..... en fait ..... à sa tête. Pendant les vacances, ils ..... inscriront à un atelier scientifique.

Corrigés p. 11 du *Guide parents*

Je complète puis j'entoure ma médaille

J'ai ..... exercice(s) réussi(s) – ..... exercice(s) presque réussi(s) – ..... exercice(s) non réussi(s)

FICHE 24 La lettre finale muette

Je retiens

Pour trouver plus facilement la lettre finale muette de certains mots, essaie le féminin (assis/assise) ou la famille du mot (couvert/une couverture).

- Certains mots se terminent par une **lettre qui ne se prononce pas** : c'est une lettre finale **muette**.
nuit, souris, blanc, boulangerie, placard, croix, long

- On trouve aussi des mots avec deux lettres muettes à la fin : un doigt.
Les lettres finales muettes peuvent être la marque du pluriel (les bateaux sont partis) ou du féminin (elle est arrivée).

Je m'entraîne

1 ★ Entoure les mots dont la lettre finale est muette.

tapis lisse lac zigzag mer hep !
ah ! tronc fil vingt trop mieux

2 ★ Complète le tableau.

verbe	nom
rebondir	le ....
....	le camp
....	le début
ranger	le ....
sauter	le ....
se reposer	le ....
....	le chant

3 ★★ Reconstitue les mots avec les lettres suivantes :

a h l o s t c d e i p u

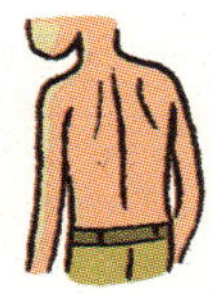

la .... un .... un ....

4 ★★★ Transforme au masculin.

La mer est **haute**. → Cet immeuble est très ....

La soupe n'est pas assez **chaude**. → Ce plat est encore ....

Elle porte une chemise **grise**. → Le ciel est ....

5 ★★★ Place les lettres finales muettes suivantes :

d e s p e g t t x

Les oiseau..... sont dispersé..... dan..... le cham..... . Martin a enfilé un gan..... pour que la buse puisse se poser sur son poin..... . Un renar..... traverse la prairi..... . La pauvre Adeline s'est endormi..... juste devan..... une fourmilière géante !

Corrigés p. 11 du *Guide parents*

Je complète puis j'entoure ma médaille

J'ai ...... exercice(s) réussi(s) ...... exercice(s) presque réussi(s) ...... exercice(s) non réussi(s)

Les valeurs de la lettre s

L'un a un s et il peut être mortel. L'autre en a un deuxième et c'est un animal avec des nageoires. **Qui sont-ils ?**

Réponse : poison et poisson.

Je retiens

- Je vois la lettre **s entre une consonne et une voyelle** : j'entends **[s]**. répo**ns**e, li**s**te
- Je vois la lettre **s entre deux voyelles** : j'entends **[z]**.

mai**s**on , vali**s**e, po**s**er, heureu**s**e, plai**s**anterie

- On écrit **ss entre deux voyelles** pour faire le son **[s]**.

chau**ss**ette , sauci**ss**on , maître**ss**e, a**ss**ez

Je m'entraîne

1 ★ **Classe les mots dans le tableau.**

oiseau – chaussette – brosse – chemise – télévision – espoir

j'entends [s]	j'entends [z]
....	....
....	....
....	....

2 ★ **Remplis la grille.**

3 ★★★ **Complète avec s ou ss.**

Hier, notre voi.....in a ca.....é dix a.....iettes ! Pour une fois, c'est lui qui débarra.....ait la table, mais il s'est pris les pieds dans l'éla.....tique de la bâche et a réali.....sé un beau plongeon dans le ba.....in. Heureu.....ement, il ne s'est pas ble.....é, et son épou.....e s'est bien moquée de lui.

4 ★★★ **Réponds aux devinettes avec des mots qui contiennent un ou plusieurs s.**

- On peut la faire dans un hamac : une ....
- C'est une fleur qui porte le nom d'une couleur : une ....
- On peut y aller pour envoyer des lettres : la ....
- On s'en sert pour enlever une barbe : un ....
- On peut en faire un avec des crayons de couleur : un ....

Corrigés p. 11 du *Guide parents*

Je complète puis j'entoure ma médaille

J'ai ...... exercice(s) réussi(s) ...... exercice(s) presque réussi(s) ...... exercice(s) non réussi(s)

GRAMMAIRE
CONJUGAISON
ORTHOGRAPHE
VOCABULAIRE

FICHE 26 Les valeurs de la lettre c

Je retiens

On voit trois c dans mon nom, on entend deux fois le son [s] et une fois le son [k] ; Harry Potter en a une. Que suis-je ?

Réponse : une cicatrice.

- Je vois la lettre **c devant a, o, u** : j'entends **[k]**.
  caravane, **co**quelicot, **cu**vette
- Je vois la lettre **c devant e, i, y** : j'entends **[s]**.
  cinéma, pla**ce**, tri**cy**cle

On met **une cédille sous le c (ç) devant a, o, u** pour faire le son **[s]**. le**ço**n, dé**çu**, fa**ça**de

Je m'entraîne

1 ★ Entoure la lettre placée après le c dans les mots suivants :

citron limace garçon

collier bracelet scarabée scie

balançoire

2 ★ Colorie en bleu quand tu entends le son [s] et en rouge quand tu entends [k].

hameçon camion français

cochon lionceau ciseaux

action façade cerise

institutrice reçu facile

3 ★★ Ajoute les cédilles qui manquent.

Francois a recu de nombreux cadeaux : un écureuil et un limacon en plastique, l'appareil à glacons qu'il avait apercu chez Nicolas, cinq paires de lacets multicolores et même du ciment pour jouer au macon !

4 ★★ Écris chaque mot en plaçant une lettre par case.

- On y entrepose du vin : une [ ][ ][V][ ].
- On en mange quand il fait chaud : une [G][ ][ ][ ][ ].
- On peut s'y baigner : un [ ][ ][C].
- On y voit des étoiles la nuit : le [ ][I][ ][ ].
- Sa capitale est Paris : la [ ][R][ ][ ][ ][ ].

5 ★★★ Complète les questions ou les réponses.

- Où lancez-vous le boomerang ? Nous le .... devant la maison.
- De combien de cases ....-vous ? Nous avançons de trois cases.
- Où places-tu ton pion ? Je le .... sur la deuxième case.
- Pourquoi vous levez-vous ? **(commencer)** Parce que le film .... dans quatre minutes.
- Que faites-vous ? **(enfoncer)** Nous .... un clou.

Corrigés p. 11 du *Guide parents*

Je complète puis j'entoure ma médaille

J'ai [......] exercice(s) réussi(s) [......] exercice(s) presque réussi(s) [......] exercice(s) non réussi(s)

FICHE 27 Les valeurs de la lettre g

Je suis un fruit exotique.
Mais, si on me confisque mon **u**, je deviens un verbe du 1er groupe conjugué au présent.
Que suis-je ?

Réponse : une mangue.

Je retiens

- Je vois la lettre **g devant a, o, u** : j'entends **[g]**.
regarder, gomme, déguster
- Je vois la lettre **g devant e, i, y** : j'entends [ʒ].
genou, angine, gymnase
- On écrit **gu devant e, i** pour faire le son **[g]**.
guêpe et guidon
- On écrit **ge devant a, o** pour faire le son [ʒ].
orangeade, nous voyageons

Je m'entraîne

1 ★ Barre l'intrus dans chaque liste.

- gendarme – rouge – rougeole – plage
- légume – figure – Gustave – Guignol
- dégustation – guide – guerre – guitare

2 ★★ Remplis la grille de mots en escalier en retirant deux lettres à chaque fois.

Ce sont des plaisanteries :
C'est un bijou :
Il indique le nombre d'années déjà vécues :
Le présent du verbe **avoir** à la 3e personne du singulier :

			G			

3 ★★★ Choisis g, gu ou ge.

Dans le ma.....asin de fruits et lé.....umes, Guillemette et Adrien ont choisi des oran.....es, des .....oyaves, des grenades et des fi.....es. « Aujourd'hui, nous man.....ons une salade exotique. » déclare la fillette en mélan.....ant tous les fruits dans un .....igantesque saladier. Ce soir, pour la servir, elle portera son dé.....isement de .....adeloupéenne !

4 ★★★ Complète les phrases par des mots qui contiennent la lettre g.

- Grégoire a étalé de la crème sur son .... pour se protéger du soleil.
- Aujourd'hui, les .... sont trop hautes pour sortir les voiliers.
- Attention, ce colis est extrêmement .... !
- Dans son ...., elle peut garer ses deux voitures et sa moto.
- À la piscine, Garance a sauté du .... de huit mètres. Bel exploit !

Corrigés p. 12 du *Guide parents*

Je complète puis j'entoure ma médaille

J'ai ...... exercice(s) réussi(s) ...... exercice(s) presque réussi(s) ...... exercice(s) non réussi(s)

GRAMMAIRE
CONJUGAISON
ORTHOGRAPHE
VOCABULAIRE

FICHE 28 m ou n ?

Je retiens

Je suis un gobelet en métal que l'on offre aux bébés et un instrument de musique. Pour m'écrire, il faut appliquer la règle. Que suis-je ?

Réponse : une timbale.

- Il faut écrire **m** à la place de **n** devant **m**, **b**, **p** sauf dans le mot **bonbon**.

montre, trompette, ampoule, timbre

mésange, enlever, emballer, inconnu

Je m'entraîne

1 ★ Entoure les mots qui appliquent la règle.

ongle jambe pompe orange impossible menton pantalon décembre

2 ★ Observe chaque lettre en gras et complète par m ou n.

a.....**b**ula.....**c**e – e.....**s**e.....**b**le – cha.....**p**ignon – tro.....**p**e – mo.....**t**agne – ti.....**b**ale

3 ★★ Réponds aux devinettes.

	Qui suis-je ?
Je suis le onzième mois de l'année.	_ _ _ _ _ _ _ _
La petite souris me prend sous l'oreiller.	_ _ _ _
Le musicien me frappe avec des baguettes.	_ _ _ _ _ _ _
Je suis souvent perché en haut d'un bonnet.	_ _ _ _ _ _

4 ★★ Complète les mots du texte avec m ou n.

C'est dimanche, Victor a décidé d'e.....mener ses filles pique-niquer da.....s la forêt. Il a e.....porté des tra.....ches de ja.....bo....., du co.....co.....bre et même des bo.....bo.....s ! Après le déjeuner, ils se reposer.....t à l'o.....bre des bra.....ches d'un sapi..... .

5 ★★★ Choisis la bonne orthographe.

on ou **om** ? un cart..... – t.....ber – l'.....bre

an ou **am** ? le v.....pire – une .....gine – un vol.....t

en ou **em** ? la m.....the – .....core – tr.....bler

in ou **im** ? l'.....vité – un .....dien – .....mangeable

Corrigés p. 12 du *Guide parents*

Je complète puis j'entoure ma médaille

J'ai ..... exercice(s) réussi(s) ..... exercice(s) presque réussi(s) ..... exercice(s) non réussi(s)

GRAMMAIRE
CONJUGAISON
ORTHOGRAPHE
VOCABULAIRE

FICHE 29 Le féminin des noms

Je suis un nom qui peut être féminin ou masculin. Je désigne une personne devant laquelle on doit garder la bouche ouverte.
Qui suis-je ?

Réponse : un dentiste

Je retiens

- Les noms accompagnés de **la** ou **une** sont **féminins**. **la** soirée
Les noms accompagnés de **le** ou **un** sont **masculins**. **un** avion

- Le plus souvent, on ajoute un **e** pour former le féminin.
un voisin → une voisin**e**
Certains mots se transforment au féminin.
coiff**eur** → coiff**euse** institu**teur** → institu**trice**
boulang**er** → boulang**ère** prince → princ**esse**

Je m'entraîne

1 ★ Relie et entoure la marque du féminin.

un lion → une lion**ne**

magicienne •	• paysanne
indien •	• musicienne
chienne •	• pharmacien
musicien •	• magicien
pharmacienne •	• indienne
paysan •	• chien

2 ★★ Choisis euse ou trice pour écrire les noms au féminin.

un chanteur → une chant.........
l'aviateur → ....
un directeur → une direc.........
un danseur → ....
le lecteur → ....
le vendeur → ....

3 ★★ Complète le tableau.

noms masculins	noms féminins
le fermier	la ....
un	une sorcière
l'ouvrier	....
un boucher	....
....	la cavalière
l'infirmier	....

4 ★★★ Trouve les noms féminins (une lettre par case).

Elle vit dans une grotte et aime le miel : l'o□□□□.
Elle aime les carottes : une □□p□□□.
La sœur de mon cousin : ma □□□□□□□.

5 ★★★ Remplace les noms masculins par les noms féminins correspondants.

Zélie ne sait pas encore quel métier elle exercera plus tard. **(marchand – épicier)** L'année dernière, elle voulait être .... de chaussures ou .... **(gardien – moniteur – comédien)** Hier, la .... de son immeuble lui a dit qu'elle l'imaginait bien .... de ski ou .... **(dompteur – tigres)** Mais aujourd'hui, elle aimerait bien devenir ....de tigres et de ....

Corrigés p. 12 du Guide parents

Je complète puis j'entoure ma médaille

J'ai ...... exercice(s) réussi(s) ...... exercice(s) presque réussi(s) ...... exercice(s) non réussi(s)

FICHE 30 Le pluriel des noms

Je retiens

plusieurs → pluriel
un seul → singulier
Certains noms ne changent pas :
un os/des os
une croix/des croix
un nez/des nez

- Les noms accompagnés de **le**, **la**, **un**, **une** ou **l'** sont au **singulier**.
  une robe, **le** jardin
  Les noms accompagnés de **les** ou **des** sont au pluriel. **des** chaussures
- Les noms au pluriel prennent généralement un **s**.
  la ceinture → les ceinture**s**
  Certains noms prennent un **x** au pluriel. un cheveu → des cheveu**x**, un noyau → des noyau**x**, un chapeau → des chapeau**x**
- Les noms en **al** et **ail** se terminent en général par **aux** au pluriel. un chev**al** → des chev**aux**, le trav**ail** → les trav**aux**
- Certains noms changent complètement au pluriel. un **œil** → des **yeux**

Je m'entraîne

1 ★ Encadre les noms au pluriel.

fleurs coccinelle arbustes tondeuse rosier végétaux moineaux tuyau

2 ★ Associe.

1. bocal	**a.** papillons
2. trou	**b.** bocaux
3. journal	**c.** trous
4. papillon	**d.** journaux

1. ..... **2.** ..... **3.** ..... **4.** .....

3 ★★ Écris au pluriel.

un vélo → deux ....
le lasso → les ....
un drapeau → plusieurs ....
un piano → quatre ....
un saut → deux ....

4 ★★★ Complète par les pluriels des noms proposés.

(instituteur – jeu) Pour la kermesse, les .... ont organisé plusieurs .... **(enfant – œil)** Les .... doivent dessiner un âne les .... bandés. **(œuf – dent)** D'autres essaient de transporter des .... dans une cuillère qu'ils tiennent entre leurs .... **(souris – noix)** Sur un stand différent, ils tentent de faire tomber des .... blanches en lançant des ....

5 ★★★ Place les pluriels des noms suivants :

métal – vipère – médecin – cheval – hôpital – couleuvre – animal

- L'or fait partie des .... précieux.
- Certains .... travaillent dans des cliniques ou des ....
- Les scorpions et les .... sont des .... dangereux, mais pas les ....
- En Camargue, les .... vivent en liberté.

Corrigés p. 12 du *Guide parents*

Je complète puis j'entoure ma médaille

J'ai ...... exercice(s) réussi(s) ...... exercice(s) presque réussi(s) ...... exercice(s) non réussi(s)

FICHE 31 Le féminin des adjectifs qualificatifs

Je retiens

Joyeux devient joyeuse, mais son contraire ne change pas. Qui est-ce ?

Réponse : triste.

- Le plus souvent, l'adjectif qualificatif prend un **e** au **féminin**.
  un petit escalier (masculin) → une petit**e** échelle (féminin)
- Les adjectifs en **eux** se terminent en **euse** au féminin.
  amour**eux** → amour**euse**
  Les adjectifs en **er** se terminent en **ère** au féminin.
  derni**er** → derni**ère**
  Parfois, on double la dernière consonne avant d'ajouter le **e** pour le féminin. gro**s** → gro**sse**, bo**n** → bo**nne**

- Certains adjectifs se transforment.
  beau → belle, neuf → neuve, vieux → vieille, blanc → blanche

Je m'entraîne

1 ★ Écris dans chaque boîte les adjectifs s'accordant avec le nom.

abîmé – rouillé – usée – vieille – ancien – métallisée

pince	outil
....	....
....	....
....	....

2 ★ Barre les adjectifs qui ne conviennent pas.

un marteau **neuf/neuve** – une **long/longue** planche – une scie **dangereux/dangereuse** – un tournevis **doré/dorée** – de la colle **chaud/chaude** – de la peinture **fraîche/frais**

3 ★★ Accorde les adjectifs.

une gro..... maison – la vitre cassé..... la tuile ébréché..... – une journée fatigant..... une façade restauré..... – une bon..... idée

4 ★★ Complète.

le premier jour → la .... journée

un vieux pneu → une .... roue

un ouvrier courageux → une ouvrière ....

le beau croquis → la .... photographie

un moment agréable → une température ....

un menuisier malicieux → une fillette ....

5 ★★★ Place l'adjectif qui convient en l'accordant si nécessaire.

magnifique – chaleureux – patient – bruyant – cher

L'ambiance de ce restaurant est extrêmement .... Même si la salle se révèle un peu ...., le jardin est .... La patronne se montre très .... avec les clients et la nourriture n'est vraiment pas ....

Corrigés p. 12 du Guide parents

Je complète puis j'entoure ma médaille

J'ai ...... exercice(s) réussi(s) ...... exercice(s) presque réussi(s) ...... exercice(s) non réussi(s)

FICHE 32 Le pluriel des adjectifs qualificatifs

Je retiens

Au **pluriel**, c'est quand on compte et qu'on en a **plusieurs** ; au **singulier**, c'est quand on en a un **seul**.

- L'adjectif qualificatif prend généralement un **s** au **pluriel**.
  un escalier ciré (singulier) → des escaliers cirés (pluriel)
- Les adjectifs en **eau** prennent un **x** au pluriel.
  un beau sapin → des beau**x** sapins
  Ceux qui se terminent par **x** ne changent pas au pluriel.
  un garçon jalou**x** → des garçons jalou**x**

Je m'entraîne

1 ★ **Colorie S (singulier) ou P (pluriel) pour chaque GN.**

une personne **timide**	S	P
un chien **affectueux**	S	P
des chevaux **blancs**	S	P
des habits **usés**	S	P
un chat **affamé**	S	P

2 ★ **Noircis les lettres qui sont en trop dans certains adjectifs qualificatifs.**

des fleurs **magnifiques** – une musique **douces** – un homme **attentifs** – un repas **joyeux** – des adolescents **courageuxs** – un jardin **agréable** – une pelouse **tondues**

3 ★★ **Accorde les adjectifs.**

un magasin fermé..... – des placards rangé..... – des livres ancien.....
de vieux..... journaux – de beau..... manuscrits – un jour férié.....
des étagères neuve..... – de gentil..... chatons – une petite..... poule rousse.....

4 ★★ **Écris les adjectifs dans les cases.**

- Ils ne sont pas en bonne santé : ce sont des personnes [ ][A][ ][A][ ][ ][ ].
- Ils errent au bord de la route. Ce sont des animaux [A][ ][ ][N][ ][ ][N][N][ ][ ].
- Ces enfants ne font pas de bruit : ce sont des enfants [ ][I][ ][ ][N][ ][I][ ][ ][ ].
- Ces jeunes filles profitent de la vie : ce sont des jeunes filles [H][E][ ][ ][E][ ][ ][E][ ].

5 ★★★ **Mets les adjectifs entre parenthèses au pluriel.**

(odieux/brûlé) La soirée commençait mal : des invités ...., des saucisses .... Une vraie catastrophe ! **(charmant)** Mais heureusement, les .... voisins ont sauvé la situation. **(déguisé/excellent)** Ils sont arrivés .... avec d'........................ pâtisseries !

Corrigés p. 13 du *Guide parents*

Je complète puis j'entoure ma médaille

J'ai ...... exercice(s) réussi(s) – ...... exercice(s) presque réussi(s) – ...... exercice(s) non réussi(s)

FICHE 33 L'accord sujet-verbe

Je retiens

Parfois, tu peux entendre le pluriel du verbe (elle réagit/elle réagissent) ; mais parfois, le pluriel ne s'entend pas (il joue/ils jouent).

Le verbe s'accorde toujours avec son sujet.

- Si le **sujet** est au **singulier**, le **verbe** est au **singulier**.
  L'abeille **butine**.
- Si le **sujet** est au **pluriel**, le **verbe** est au **pluriel**.
  Les abeilles butin**ent**.
- Si un verbe a **plusieurs sujets**, il se met au **pluriel**.
  Le melon et **la tomate sont** des fruits.

Je m'entraîne

1 ★ **Encadre les sujets.**

Les carnivores **mangent** de la viande. Les enfants **vont** visiter le jardin botanique. Le panda **se nourrit** de bambous. Les insectes **ont** tous six pattes. Les chasseurs **prennent** leurs fusils.

2 ★ **Barre les verbes qui ne conviennent pas.**

- Les grenouilles **(plonge/plongent)** dans la mare.
- La fouine et la belette **(se précipite/précipitent)** dans leurs terriers.
- La taupe **(creuse/creusent)** des galeries souterraines.
- Le rapace **(fonce/foncent)** sur le lapin.

3 ★★ **Relie pour former une phrase.**

	• est un mammifère.
Le dauphin •	• hibernent pendant l'hiver.
Je •	• fais le tour du zoo.
Les marmottes •	• peut sauter très haut.
Nous •	• regardent les randonneurs.
	• admirons le travail des abeilles.

4 ★★★ **Écris les verbes au pluriel ou au singulier.**

Paul ratisse le jardin. → Paul et Martin ....

L'iris et la tulipe fleurissent au printemps. → L'iris ....

Le citron est un agrume. → Le citron et l'orange .... des agrumes.

Les rhinocéros font peur. → Le rhinocéros ....

Le lion rugit. → Les lions ....

Les enfants disent vrai. → Cet enfant ....

Le melon a un goût sucré. → Les melons ....

Corrigés p. 13 du Guide parents

Je complète puis j'entoure ma médaille

J'ai ...... exercice(s) réussi(s) ...... exercice(s) presque réussi(s) ...... exercice(s) non réussi(s)

Les homophones grammaticaux

Je suis une onomatopée et je suis un homonyme de a et à. Que suis-je ?

Réponse : ah.

Je retiens

a / à

- Nous allons **à** la mairie. **a, accent grave**, est **invariable**.
- Aujourd'hui, il **a** mal au dos. **a, sans accent**, est le **verbe avoir** à la 3e personne du singulier du présent. Remplace **a** par **avait** en changeant le temps et tu ne feras plus d'erreur. Hier, il **avait** mal au dos.

on / ont

- Demain, **on** prendra le train. **on** est un **pronom**.
- Aujourd'hui, elles **ont** envie d'aller se promener. **ont** est le **verbe avoir** à la 3e personne du pluriel du présent. Remplace **ont** par **avaient** et tu ne feras plus d'erreur. Hier, elles **avaient** envie d'aller se promener.

Je m'entraîne

1 ★ Écris les phrases en utilisant la règle pour trouver le verbe avoir.

- Cette semaine, Marine a un gros rhume. Il y a six jours, Marine .... un gros rhume.
- Cette année, ils ont le temps de jouer.

L'année dernière, ...

- Aujourd'hui, Théo a l'air sérieux. Hier, ...

2 ★★ Reconstitue les deux phrases.

a	à la fraise.	Ils	très faim.	sorbets	On	de manger	ont envie	des

- ....
- ....

3 ★★★ Barre ce qui ne convient pas.

Ninon n'(a/à) pas envie de rester (a/à) la maison pendant les vacances. Elle préférerait accompagner ses grands-parents en Ardèche. Là-bas, ils (on/ont) une maison de campagne avec un immense grenier où l'(on/ont) peut jouer (a/à) cache-cache. Réussira-t-elle (a/à) convaincre ses parents de la laisser partir ?

4 ★★★ Complète avec a, à, on ou ont.

Ninon n'........ plus de place dans sa chambre. Ses cousins .... une bonne idée : ils vont tenir un stand avec elle à la brocante. Elle pourra y vendre son coffre .... jouets, la petite table .... repasser qu'........ .... du mal .... replier. Mais attention, ... doit réserver son stand la semaine qui précède le marché.

Corrigés p. 13 du *Guide parents*

Je complète puis j'entoure ma médaille

J'ai ...... exercice(s) réussi(s) ...... exercice(s) presque réussi(s) ...... exercice(s) non réussi(s)

Test d'évaluation

Pour bien réussir ton test de révision :
- lis attentivement la consigne de l'exercice ;
- applique ce que tu as appris ;
- réponds en soignant ton écriture.

1 Place les accents.

la fete de l'ecole maternelle – les rennes du Pere Noel – le gateau aux mures et aux mirabelles

....../3

2 Ajoute la lettre muette qui convient.

c d e t p

canar..... – pharmaci..... – déser.....
lou..... – ban..... – galo.....

....../3

3 Remplis la grille.

....../4

4 Noircis les pluriels incorrects.

un bonbon → des **bonbons/bonbonx**
le cheval → les **chevaux/cheveaux**
un chapiteau → des **chapiteaus/chapiteaux**
un os → des **osses/os**
un travail → des **travails/travaux**
la camionnette → les **camionnette/camionnettes**

....../3

5 Complète les menus.

un plat froid une soupe froid... des haricots	un poulet entier des canards .... des oies ....

un gâteau délic......... une tarte .... des légumes ....

....../3

6 Choisis les sujets.

Tous les spectateurs – Je – Tom – Laure et moi – il – le spectacle – les acteurs – Les lumières

.... sommes arrivées en avance. .... aussi est impatient. .... lui dis que .... ne rentreront en scène que dans trente minutes, mais .... insiste pour aller s'asseoir tout de suite dans la salle. .... sont maintenant à leur place. .... s'éteignent, ... commence.

....../4

Corrigés p. 13 du *Guide parent*

FICHE 36 Le dictionnaire

Je retiens

Pour trouver facilement les mots, il faut connaître par cœur l'alphabet.
A B C D E F G H I
J K L M N O P Q R
S T U V W X Y Z

- Pour chercher un mot dans le dictionnaire, il faut d'abord regarder sa première lettre. On trouve **baobab** à **B** dans le dictionnaire.
Pour trouver la page où se trouve **baobab**, il faut regarder la deuxième lettre : **ba**obab se trouve dans une liste de mots commençant par **BA**.
- Le dictionnaire nous renseigne sur le sens du mot que l'on cherche.

baobab : nom masculin. Grand arbre d'Afrique au tronc énorme.

Je m'entraîne

1 ★ Relie chaque définition à l'illustration qui lui correspond.

- Nom masculin. Gros serpent d'Amérique.

- Nom féminin. Mammifère sauvage d'Afrique et d'Asie qui court très vite.

- Nom masculin. Sorte de bœuf vivant en Afrique et en Asie.

2 ★ Écris en majuscule sous quelle lettre est classé chaque mot.

alarme : ..... – quille : ..... – hanneton : ..... – marché : .... – yoga : ..... – aimer : .....

3 ★★ Noircis ce qui ne convient pas.

Dans le dictionnaire :

- **éponge** est (avant/après) **équerre**.
- **cartable** est (avant/après) **cahier**.
- **répertoire** est (avant/après) **règle**.
- **craie** est (avant/après) **crayon**.

4 ★★ Déchiffre le message codé : chaque chiffre correspond à une lettre dans l'alphabet.

(12)(5) (3)(8)(9)(5)(14) (4)(5) (13)(1) (22)(15)(9)(19)(9)(14)(5) (2)(15)(9)(20) (4)(21) (20)(8)(5)

....

5 ★★★ Classe les mots par ordre alphabétique.

koala – hérisson – lama – dromadaire – limace – hamster

....

Corrigés p. 14 du *Guide parents*

Je complète puis j'entoure ma médaille

J'ai ..... exercice(s) réussi(s) ..... exercice(s) presque réussi(s) ..... exercice(s) non réussi(s)

FICHE 37 Les abréviations

Je retiens

Je suis une drôle d'adresse. **Traduis-moi !**

Réponse : Monsieur et Madame – avenue – bâtiment – quatrième étage.

- Les abréviations sont des **mots raccourcis**. L'abréviation peut être une **syllabe** du mot : **car**, auto**car**.
- Dans d'autres cas, et en particulier dans le **dictionnaire**, les abréviations **peuvent** être réduites à **une lettre** ou à un **groupe de lettres**. voiture : **n. f.** (nom féminin)

Je m'entraîne

1 ★ **Colorie les abréviations.**

bateau – moto – avion – tram
bus – train – auto – métro
tricycle – hélicoptère – vélo

2 ★ **Relie l'abréviation au reste du mot pour le reconstituer.**

météo •	• rologie
géo •	• ball
volley •	• mobile
basket •	• graphie
auto •	

3 ★★ **Écris les abréviations de ces mots comme dans le dictionnaire.**

nom :	adjectif : ....
verbe :	féminin : ....
masculin :	singulier : ....
pluriel :	pronom : ....
invariable :	familier : ....

4 ★★ **De quels mots viennent ces abréviations ?**

foot : ....
récré : ....
hand : ....
maths : ....
gym : ....
AB : ....
B : ....
TB : ....

5 ★★★ **Complète avec les mots dont les abréviations sont :**

infos – télé – pub – JT – météo

Les parents de Tom allument tous les soirs la .... Ils regardent d'abord les .... du ....
Ensuite, après la page de ...., ils attendent la .... pour savoir quel temps il fera le lendemain.

Corrigés p. 14 du *Guide parents*

Je complète puis j'entoure ma médaille

J'ai ...... exercice(s) réussi(s) ...... exercice(s) presque réussi(s) ...... exercice(s) non réussi(s)

FICHE 38 Le « mot étiquette »

Je retiens

Pour trouver un « mot étiquette », utilise **est** ou **sont** :
courgette **est** un légume,
courgette, aubergine, poireau **sont** des légumes.
Légume est leur **mot étiquette**.

- Le « **mot étiquette** » regroupe un ensemble de mots.
Tulipe, myosotis, muguet, lys sont des fleurs.
Fleur est leur mot étiquette.

Je m'entraîne

1 ★ **Relie au « mot étiquette » pour compléter chaque phrase.**

Une fusée est •	• un bagage.
Une valise est •	• un fleuve.
La Seine est •	• un moyen de transport.

2 ★ **Barre l'intrus.**

- poirier – platane – marguerite – chêne
- vétérinaire – lettre – facteur – plombier

- France – Venise – Londres – Madrid
- couteau – fourchette – cuillère – verre

3 ★★ **Encadre le « mot étiquette » dans chaque liste.**

- vautour – aigle – rapace – faucon
- vin – lait – citronnade – boisson
- renard – mammifère – dauphin – chat
- melon – pastèque – raisin – fruit

4 ★★ **Choisis le « mot étiquette ».**

vêtement – bijou – métal – meuble

.... : bracelet, collier, bague, pendentif

.... : chaise, armoire, table, lit

.... : manteau, pantalon, jupe, robe

.... : or, argent, fer, cuivre

5 ★★★ **Remplis le tableau.**

~~lundi~~ – janvier – hiver – mars – mercredi – ~~jour~~ – été – mois – jeudi – saison – ~~avril~~ – automne – août

mot étiquette	jour	....	....
mots	lundi	....	....
	....	....	....
	....	avril	....
		....	

Corrigés p. 14 du Guide parents

Je complète puis j'entoure ma médaille

J'ai ...... exercice(s) réussi(s) ...... exercice(s) presque réussi(s) ...... exercice(s) non réussi(s)

FICHE 39 Les mots de la même famille

Je retiens

Je suis un jeu de cartes. Quand tu y joues avec tes amis, tu leur demandes : **le père, la fille…** **Qui suis-je ?**

Réponse : le jeu des 7 familles.

lait

lait age

al lait er

Tous ces mots sont **de la même famille**. Ils ont **une partie commune** (lait) et se rapportent au **même thème**.

Je m'entraîne

1 ★ Colorie de la même couleur les mots appartenant à la même famille.

nageoire — éventail — nager — vent — nage — ventilateur

2 ★ Écris ce que représente chaque dessin et entoure la partie commune de ces mots.

…………………… …………………… ……………………

3 ★★ Barre l'intrus.

- colle – école – décoller – collage
- chaussure – chausson – déchausser – chaud
- changer – chanson – chanter – chanteur
- découvrir – couvercle – courir – couverture
- soleil – solaire – parasol – parapluie

4 ★★ Remplis les cases avec des mots de la famille de terre.

- Pour jouer au tennis, on y installe un filet : un ☐☐☐☐☐☐☐ .
- Devant une maison, elle peut être en bois : une ☐☐☐☐☐☐☐☐ .
- Qui vit sur terre : ☐☐☐☐☐☐☐☐☐ .
- Les animaux le défendent : c'est leur ☐☐☐☐☐☐☐☐☐☐ .
- Le moment où un avion se pose au sol : l'☐☐☐☐☐☐☐☐☐☐☐☐

5 ★★★ Complète avec des mots de la famille de rang.

- Au fond de son jardin, elle a planté trois ……………… de pommes de terre.
- Tu lui as promis de ………….. ta chambre avant d'aller au cinéma.
- Avant les vacances, il a entrepris un grand ……………………… .
- Sa ligne téléphonique est en ……………………………. depuis ce matin.
- Sur sa porte, elle a affiché : « Prière de ne pas ……………………… ».

Corrigés p. 14 du Guide parents

Je complète puis j'entoure ma médaille

J'ai …… exercice(s) réussi(s) — …… exercice(s) presque réussi(s) — …… exercice(s) non réussi(s)

FICHE 40 Les mots dérivés

Je retiens

On entend toujours le radical dans les mots dérivés. Les mots dérivés sont toujours plus longs que le radical.

chaussure

chausson

chaussette

Dans la **famille** de ces mots, « **chauss** » est la partie que l'on retrouve dans chaque mot, c'est le **radical**.
chaussure, chausson, chaussette, se déchausser... sont des mots **dérivés** de la même famille.

Je m'entraîne

1 ★ **Remplis les drapeaux.**

chanter – volière – chanteur – voleur – enchantement – s'envoler

2 ★ **Reconstitue les trois mots dérivés.**

sur | im | er | tesse | ra | ir

.........gel......... – ....lent......... – ....poli.........
..........prudent – ....conter – ....vol.........

3 ★★ **Cherche un mot dérivé.**

- Pousser un **cri** : c'est ....
- Dire un **mensonge** : c'est ....
- Faire un **achat** : c'est ....
- Faire une **grimace** : c'est ....
- Mettre au **four** : c'est ....
- Devenir **rouge** : c'est ....

4 ★★ **Retrouve le mot simple à partir du mot dérivé.**

beauté → ....
lourdement → ....
alléger → ....
chargement → ....

5 ★★★ **Remplis la grille.**

Par quelles lettres commencent tous ces mots ? ....

Corrigés p. 15 du Guide parents

Je complète puis j'entoure ma médaille

J'ai ...... exercice(s) réussi(s) ...... exercice(s) presque réussi(s) ...... exercice(s) non réussi(s)

GRAMMAIRE
CONJUGAISON
ORTHOGRAPHE
VOCABULAIRE

FICHE 41 Les mots contraires

Je retiens

Si tu cherches le contraire de **grande**, dis-toi : Si elle n'est pas grande, elle est... petite.

monter est le **contraire** de descendre

- Dans certains cas, on peut, à partir **d'un mot**, former **son contraire** en lui ajoutant au début dé, mal, in ou im : c'est alors un mot dérivé. ranger → **dé**ranger, heureux → **mal**heureux fidèle → **in**fidèle, possible → impossible

Je m'entraîne

1 ★ Colorie les couples de contraires de la même couleur.

beau — arriver — avant

partir — laid — après

2 ★ Transforme chaque mot en son contraire en ajoutant dé, mal, in ou im.

parfait → .....parfait poli → ....

faire → .... adroit → ....

égal → .... monter → ....

3 ★★ Écris les mots contraires.

- Cette vitre n'est pas **propre** : elle est ....
- Ce calcul n'est pas **juste** : il est ....
- La nappe n'est pas à **l'endroit** : elle est ....
- Il n'est pas arrivé **avec** ses affaires : il est arrivé ....

4 ★★ Réponds aux questions.

- Le magasin est-il ouvert ?

Non, il est ....

- Cette consigne est-elle difficile ?

Non, ...

- Sa jupe est-elle longue ?

Non, ...

- Est-ce le début du film ?

Non, c'est la ....

- Ce colis est-il lourd ?

Non, ...

5 ★★★ Remplace les mots entre parenthèses par leurs contraires.

(derrière) Noémie attend patiemment .... le guichet. **(petite/vide)** Sa .... valise est .... et elle a du mal à la soulever. **(allumer)** Une hôtesse demande aux passagers d'...................... leurs téléphones portables. **(finir)** L'embarquement va pouvoir ....

Corrigés p. 15 du *Guide parents*

Je complète puis j'entoure ma médaille

J'ai ...... exercice(s) réussi(s) ...... exercice(s) presque réussi(s) ...... exercice(s) non réussi(s)

FICHE 42 Les différents sens d'un mot

À l'intérieur de cette devinette, quel est le mot qui a plusieurs sens ?

Réponse : sens (direction/définition).

Je retiens

La princesse se regarde dans la **glace**.
Elle aime la **glace** à la vanille.

- Un même **mot** peut avoir **plusieurs sens**. On trouve les différents sens d'un mot dans le dictionnaire.

Je m'entraîne

1 ★ **Écris les mots qui correspondent aux dessins.**

cuisinière – feu – pêche

....

 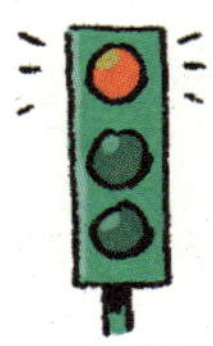 

....

2 ★★ **Entoure la définition qui convient au mot en gras.**

- Il a subi une **opération** de la hanche.

a. calcul mathématique
b. intervention chirurgicale

- Un chasseur a aperçu un **loup**.

a. animal
b. masque

- À cause des mes nouvelles chaussures, j'ai une ampoule au pied gauche.

a. cloque
b. électricité
c. médicament

3 ★★★ **Noircis l'adjectif qui ne convient pas.**

C'est l'automne : les **feuilles** (photocopiées/rousses) tombent des arbres. Sa chambre est une **pièce** (sombre/métallique). Après une semaine de randonnée, il avait des **ampoules** aux pieds (infectées/allumées) et des **boutons** (dorés/rouges) sur les mollets. Elle aime ramasser de la **mousse** toute (douce/ savonneuse) dans la forêt.

4 ★★★ **Place les mots suivants :**

pile – verre – canapé – flûte

- Pendant toute la soirée, Thomas est resté assis sur le .... à boire du champagne dans une .... en cristal. Aurélia, elle, a écouté le concert de .... Le buffet était copieux ; nous avons particulièrement apprécié le .... aux poivrons et aux anchois. J'ai fait tomber un saladier, mais j'ai immédiatement balayé le .... cassé.
- J'ai fait tomber une .... de livres rangés sur une étagère de la bibliothèque. Nous n'avons pas pu prendre de photos car notre appareil avait des .... usagées.

Corrigés p. 15 du *Guide parents*

Je complète puis j'entoure ma médaille

J'ai ..... exercice(s) réussi(s) ..... exercice(s) presque réussi(s) ..... exercice(s) non réussi(s)

FICHE 43 Les nuances de sens

Je retiens

Je souffle moins fort qu'une **tempête** mais je suis plus agréable que le **vent**. Je commence comme **brouillard**.
Qui suis-je ?

Réponse : la brise.

Le cheval **va au pas**, il **trotte**, il **galope**.

- On peut classer ces expressions selon les nuances de sens qu'elles expriment : du plus lent au rapide.
- L'expression plus que ou moins que permet de classer les différentes nuances de sens.

Le galop est **plus** rapide que le trot.

Je m'entraîne

1 ★ **Colorie de la même couleur les mots qui vont ensemble.**

étroit – chaud – serré – brûlant – tiède – large

2 ★ **Écris l'adjectif qui qualifie le temps représenté sur chaque dessin.**

brumeux – nuageux – pluvieux
ensoleillé – orageux – neigeux

 .... 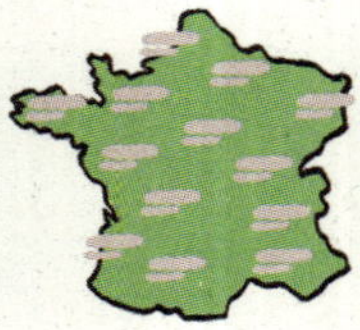 ....  ....

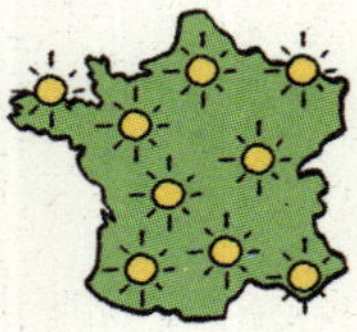 ....  ....  ....

3 ★★ **Choisis plus ou moins.**

- Un chemisier **mouillé** est .... humide qu'un chemisier **trempé**.
- **Rire** est .... bruyant que **sourire**.
- Un **hurlement** est .... fort qu'un **cri**.
- Un gris **clair** est .... sombre qu'un gris **foncé**.

4 ★★★ **Barre ce qui ne convient pas.**

Aujourd'hui, Marion part en vacances : elle est **(très/trop)** contente. Son sac est **(tout/trop)** petit pour contenir toutes ses affaires de tennis. Elle décide d'emprunter la grande valise à roulettes de sa sœur : ce sera **(plus/trop)** facile de tout faire rentrer, et ce bagage sera **(moins/plus)** difficile à transporter. Pour aller en avion chez son oncle, c'est **(tout/trop)** simple : il lui suffit, à l'aéroport, de suivre l'hôtesse de l'air qui s'occupe des enfants.

Corrigés p. 15 du *Guide parents*

Je complète puis j'entoure ma médaille

J'ai ...... exercice(s) réussi(s) ...... exercice(s) presque réussi(s) ...... exercice(s) non réussi(s)

FICHE 44 Les homonymes

Je suis la deuxième plus grande ville de France et le roi des animaux. Qui suis-je ?

Réponse : la ville de Lyon et le lion.

Je retiens

Léo se repose sous le **chêne**.
Il porte une **chaîne** en or.

- Certains mots **se prononcent de la même façon** mais ils **n'ont pas le même sens** : ce sont des **homonymes**.
- C'est dans le dictionnaire que l'on trouve l'orthographe des mots et leurs sens.

Je m'entraîne

1 ★ **Place les mots sous les dessins.**

vingt – vin – haut – eau – mur – mûre

 ....

 ....

 ....

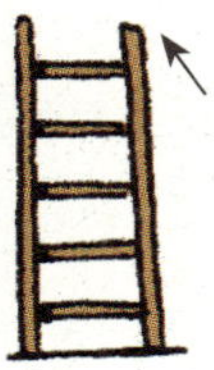 ....

 ....

 ....

2 ★ **Entoure les homonymes dans chaque phrase.**

- Elle a la peau très sèche ; c'est pourquoi elle voyage toujours avec un pot de crème hydratante.
- Il n'a pas pu profiter de la fin du repas : il a encore faim !
- Jeanne a dormi sous la tente avec son oncle et sa tante.
- Martin a pris son argent de poche pour s'acheter ce jouet hors de prix.

3 ★★ **Relie.**

sot •	• bond
seau •	• étendue d'eau
saut •	• maman
maire •	• idiot
mère •	• récipient
mer •	• à la tête de la mairie

4 ★★★ **Trouve les quatre homonymes.**

- Vit dans la terre : un ☐☐☐.
- Indique une direction : ☐☐☐☐.
- C'est une couleur : ☐☐☐☐.
- On s'en sert pour boire : un ☐☐☐☐☐.

5 ★★★ **Noircis le mot qui ne convient pas.**

Tom a reçu un **(cou/coup)** de **(poing/point)** dans la **(cour/court)** de récréation. Il saigne du nez et il a un peu de **(sang/sans)** sur sa veste. Le **(maître/mètre)** lui fait **(cygne/signe)** de venir le voir.

Corrigés p. 15 du *Guide parents*

Je complète puis j'entoure ma médaille

J'ai ...... exercice(s) réussi(s) ...... exercice(s) presque réussi(s) ...... exercice(s) non réussi(s)

FICHE 45 Le langage familier

Je suis un nom commun féminin et je me cache derrière **familier**. Qui suis-je ?

Réponse : la famille.

Je retiens

- **Frangine** et **louper** appartiennent au vocabulaire du **langage familier**, **sœur** et **échouer** appartiennent au vocabulaire du **langage courant**.
- Il existe plusieurs types de langage. On les utilise selon la personne à laquelle on s'adresse. Lorsque l'on écrit un texte, on n'utilise pas le langage familier.

Je m'entraîne

1 ★ **Colorie de la même couleur ce qui va ensemble.**

flic — moche — policier

flemmard — laid — paresseux

2 ★ **Encadre les mots ou expressions du langage familier.**

avoir du bol — se vanter — un bureau

du boucan — le gosse — une cousine

3 ★★ **Remplace les mots familiers par des mots du langage courant.**

Tu as **de la veine** ! → Tu as de la ....

La **bouffe** est **vachement** bonne. → La .... est .... bonne.

Il s'est fait **des tas d'**amis. → Il s'est fait .... amis.

4 ★★ **Écris les mots familiers.**

- le travail : le B _ _ _ _ _ .
- des voitures : des B _ _ _ _ _ _ _ .
- lire : B _ _ _ _ _ _ _ _ .

5 ★★★ **Coche la bonne définition du mot en gras.**

- Quel **bazar** !
  - ❑ Quel grand magasin !
  - ❑ Quel désordre !
- Ce livre est **chouette**.
  - ❑ Ce livre est intéressant.
  - ❑ Ce livre parle d'une chouette.
- Je **bosse** trop.
  - ❑ J'ai une bosse de trop.
  - ❑ Je travaille trop.
- Ce clafoutis est **drôlement** bon.
  - ❑ Ce clafoutis fait rire.
  - ❑ Ce clafoutis est très bon.
- Il a la **frousse**.
  - ❑ Il a la figure toute rousse.
  - ❑ Il a peur.

Corrigés p. 16 du Guide parents

Je complète puis j'entoure ma médaille

J'ai ..... exercice(s) réussi(s) — ..... exercice(s) presque réussi(s) — ..... exercice(s) non réussi(s)

FICHE 46 L'origine des mots

Je retiens

! L'étude de l'origine des mots s'appelle l'**étymologie**. C'est dans le dictionnaire que l'on trouve l'origine des mots.

- Chaque **mot** a une **histoire**, c'est son **origine**.

spaghetti (vient d'Italie) alligator (vient d'Espagne)

Certains mots viennent de la langue d'un autre pays.

- D'autres mots viennent de langues que l'on parlait avant le français : le latin, le grec.

Cartable vient du latin **charta** qui veut dire **papier**.

Je m'entraîne

1 ★ Reconstitue les deux mots.

- C'est un mot formé avec les deux mots anglais **end** (fin) et **week** (semaine) : un ....
- C'est un mot formé avec les deux mots allemands **Ball** (ballon) et **Hand** (main) : le ....

2 ★★ Relie les mots d'origine italienne à leur définition.

Piano •	• Est le diminutif de **spago** qui veut dire « ficelle ».
Biscotte •	• Signifie tout doucement.
Radis •	• Vient de **biscotto** qui veut dire « cuit deux fois ».
Spaghetti •	• Vient de **radice** qui veut dire « racine ».

3 ★★ Remets les lettres dans l'ordre et tu découvriras des mots d'origines différentes.

ETUORCUOHC

.... vient de l'alsacien.

HENMRI

.... vient du breton.

FARISA

.... vient de l'arabe.

ELFRET

.... vient du grec.

DIOTG

.... vient du latin.

4 ★★★ Remplis la grille.

Corrigés p. 16 du *Guide parents*

Je complète puis j'entoure ma médaille

J'ai ...... exercice(s) réussi(s) ...... exercice(s) presque réussi(s) ...... exercice(s) non réussi(s)

FICHE 47 Test d'évaluation

Pour bien réussir ton test de révision :
- lis attentivement la consigne de l'exercice ;
- applique ce que tu as appris ;
- réponds en soignant ton écriture.

1 Classe les mots par ordre alphabétique.

sauter
rêver
sonner
trembler
rouler
tousser

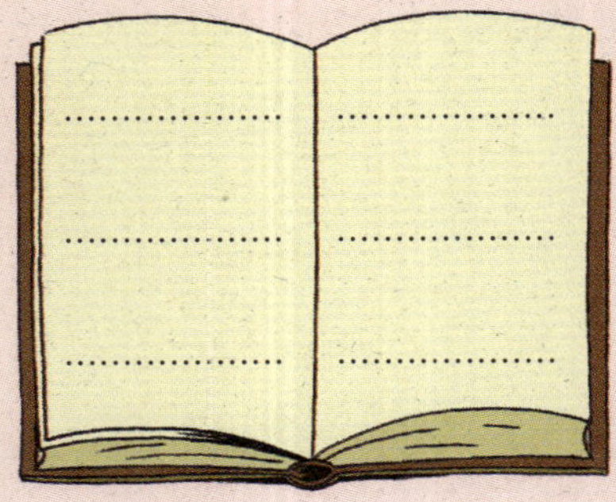

....../3

2 Barre l'intrus qui n'est pas de la famille.

- médecin – médicament – médecine – météorite
- écrivain – écorce – écriture – écrire
- vent – vendre – vente – vendeuse

....../3

3 Trouve le mot dérivé qui se termine par esse.

tendre → la tendr..............
gentil → la ....
vite → la ....
mou → la ....
faible → la ....
triste → la ....

....../3

4 Complète par le contraire.

- Ce n'est pas un chiffre **pair** :
c'est un chiffre ....
- Cet homme n'est pas **honnête** :
il est ....
- Cet élève n'est pas **présent** :
il est ....
- La soupe n'est pas **chaude** :
elle est ....
- Cet endroit n'est pas **bruyant** :
il est ....
- Je ne suis pas **pardonnable** :
je suis ....

....../3

5 Relie chaque mot aux illustrations qui lui correspondent.

 • bouton • 

 • bouchon • 

 • bretelles • 

 • dossier • 

....../4

6 Remplis la grille d'homonymes en te servant des dessins.

....../4

Corrigés p. 16 du Guide parents

CW01650079

WORKBOOK 2

prepared for the course team by david goldblatt

This publication forms part of an Open University course DD100 *An Introduction to the Social Sciences: Understanding Social Change.* Details of this and other Open University courses can be obtained from the Course Reservations Centre, PO Box 724, The Open University, Milton Keynes MK7 6ZS, United Kingdom: tel. +44 (0)1908 653231, e-mail ces-gen@open.ac.uk

Alternatively, you may visit the Open University website at http://www.open.ac.uk where you can learn more about the wide range of courses and packs offered at all levels by the Open University.

To purchase this publication or other components of Open University courses, contact Open University Worldwide Ltd, The Berrill Building, Walton Hall, Milton Keynes MK7 6AA, United Kingdom: tel. +44 (0)1908 858785; fax +44 (0)1908 858787; e-mail ouwenq@open.ac.uk; website http://www.ouw.co.uk

The Open University
Walton Hall, Milton Keynes
MK7 6AA

First published 2000

This text has been printed on paper produced in Sweden from wood from managed forests using an elemental chlorine-free bleaching process. It has been stated as being environmentally friendly by the Swedish Association for the Protection of Nature.

Edited, designed and typeset by the Open University.

Printed by The Bath Press, Bath.

ISBN 0 7492 7766 1

1.1

22521B/dd100wb2i1.1

Contents

The DD100 course team

John Allen, *Senior Lecturer in Geography*

Penny Bennett, *Editor*

Pam Berry, *Compositor*

Simon Bromley, *Senior Lecturer in Government*

David Calderwood, *Project Controller*

Elizabeth Chaplin, *Tutor Panel*

Giles Clark, *Co-publishing Advisor*

Stephen Clift, *Editor*

Allan Cochrane, *Professor of Public Policy*

Lene Connolly, *Print Buying Controller*

Graham Dawson, *Lecturer in Economics*

Lesley Duguid, *Senior Course Co-ordination Secretary*

Ross Fergusson, *Staff Tutor in Social Policy (Region 02)*

Fran Ford, *Senior Course Co-ordination Secretary*

David Goldblatt, *Co-Course Team Chair, Lecturer in Government*

Jenny Gove, *Lecturer in Psychology*

Judith Greene, *Professor of Psychology*

Montserrat Guibernau, *Lecturer in Government*

Peter Hamilton, *Lecturer in Sociology*

Celia Hart, *Picture Researcher*

David Held, *Professor of Politics and Sociology*

Susan Himmelweit, *Senior Lecturer in Economics*

Steve Hinchliffe, *Lecturer in Geography*

Gordon Hughes, *Lecturer in Social Policy*

Christina Janoszka, *Course Manager*

Pat Jess, *Staff Tutor in Geography (Region 12)*

Bob Kelly, *Staff Tutor in Government (Region 08)*

Margaret Kiloh, *Staff Tutor in Applied Social Sciences (Region 13)*

Sylvia Lay-Flurrie, *Secretary*

Siân Lewis, *Graphic Designer*

Tony McGrew, *Professor of International Relations, University of Southampton*

Hugh Mackay, *Staff Tutor in Sociology (Region 10)*

Maureen Mackintosh, *Professor of Economics*

Eugene McLaughlin, *Senior Lecturer in Applied Social Science*

Andrew Metcalf, *Senior Producer, BBC*

Gerry Mooney, *Staff Tutor in Applied Social Sciences (Region 11)*

Ray Munns, *Graphic Artist*

Kathy Pain, *Staff Tutor in Geography (Region 02)*

Clive Pearson, *Tutor Panel*

Lynne Poole, *Tutor Panel*

Norma Sherratt, *Staff Tutor in Sociology (Region 03)*

Roberto Simonetti, *Lecturer in Economics*

Dick Skellington, *Project Officer*

Brenda Smith, *Staff Tutor in Psychology (Region 12)*

Mark Smith, *Lecturer in Social Sciences*

Grahame Thompson, *Professor of Political Economy*

Ken Thompson, *Professor of Sociology*

Stuart Watt, *Lecturer in Psychology/KMI*

Andy Whitehead, *Graphic Artist*

Kath Woodward, *Co-Course Team Chair, Staff Tutor in Sociology (Region 07)*

Chris Wooldridge, *Editor*

External Assessor

Nigel Thrift, *Professor of Geography, University of Bristol*

INTRODUCTION

Block overview

Eight weeks down, twenty-four to go; *Identity* yesterday, *The Natural and the Social* today. This workbook is your guide for the next five week's study. As with Block 1, there are four weeks for studying the course materials and a week for writing TMA 02. Once again, how you work through the block and how you allocate your time are down to you, but our suggestions are below.

Study week	Course material	Suggested study time
9	*Workbook 2* and Book 2: *The Natural and the Social: Uncertainty, Risk, Change* Introduction Chapter 1 Audio-cassette 4, Side A and notes	11 hours 1 hour
10	Workbook and Chapter 2	12 hours
11	Workbook and Chapter 3	12 hours
12	Workbook and Chapter 4 Afterword Audio-cassette 4, Side B and notes TV 02 and notes	9½ hours 1 hour 30 minutes 1 hour
13	TMA 02	12 hours

FIGURE 1 Course materials for Block 2

FIGURE 2 Recommended study route for Block 2

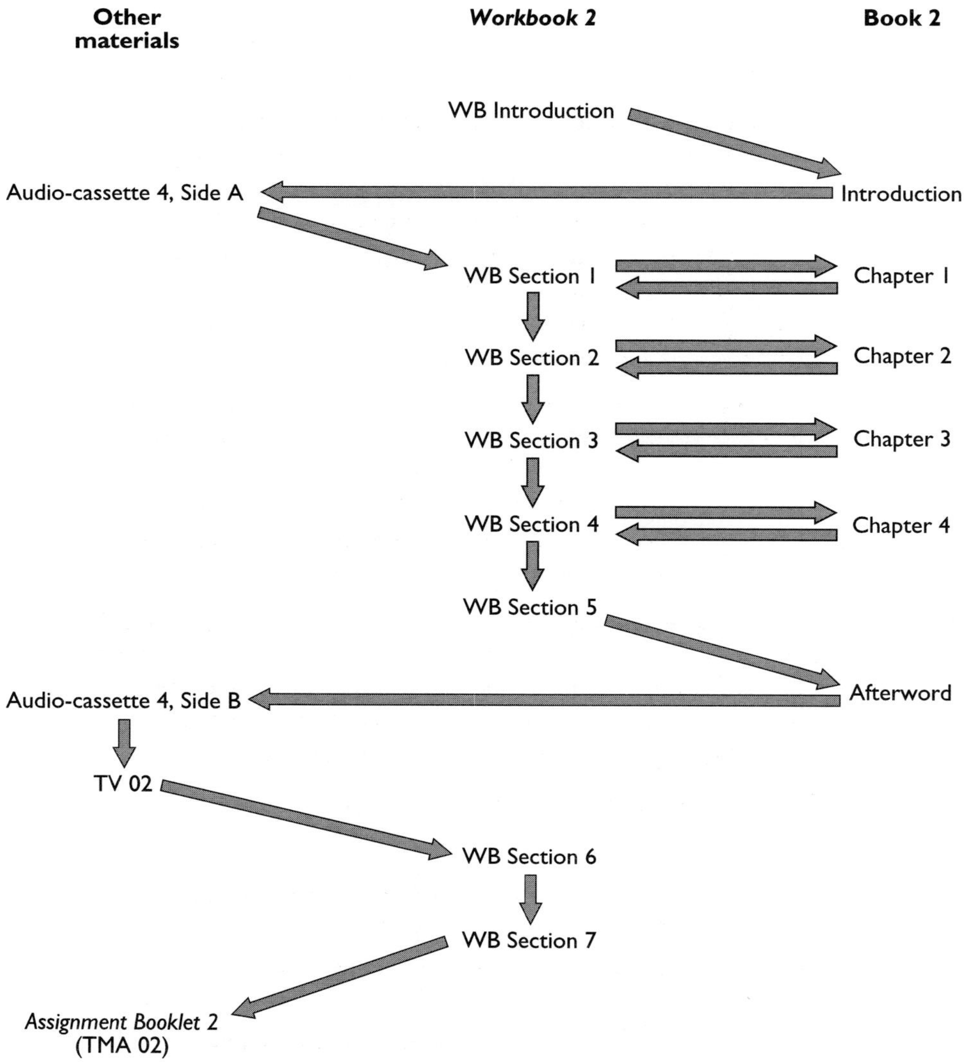

Key questions

WORKBOOK ACTIVITY 1

Think about what the term *natural* conjures up for you.

How would you explain what it means to someone who didn't understand the word?

Write down your responses. They don't have to be full sentences, you may just find words which characterize the *natural* for you.

Now look at the words and phrases you wrote down and see if any themes emerge. Are there connections or similarities between the words and ideas on the page?

C O M M E N T

When we did this exercise we found that we wrote down words such as 'untarnished', 'pure', 'unaltered'. We wrote down examples of things which we considered to be *natural*; for example, a fast flowing waterfall streaming down a wooded hillside, the sea crashing on to craggy rocks, delicate petals on flowers. We also thought of the extraordinary variety of products which are marked today as being 'natural': everything from hair colorant to treatments to help us sleep. Somehow, these images and products are implicitly compared with something which is *unnatural.*

Delving deeper, we found that our idea of something which occurs *naturally* implies purity and something unlikely to do us harm, and sometimes as unchanging. Part of the attraction of images of meadows, rivers and seashores seems to lie in the characteristic that these features existed before us and will exist after we are long gone. By contrast, few human monuments survive more than a few decades or a couple of hundred years.

Another way in which we conceived the *natural* was as related to something that is obvious, intuitive and fixed; for example, the way we might say that it is *natural* for a baby to cry. In this frame of meaning we seem to be conveying the view that what is *natural* is also 'right' or normal and that there can be no other explanation or meaningful qualification.

One way of summarizing this in note form would be:

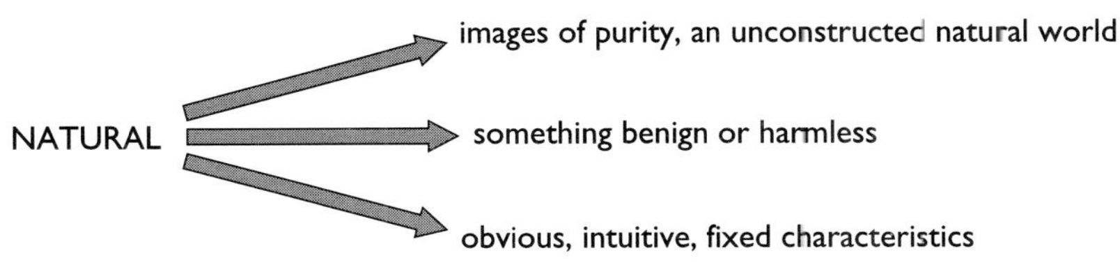

Thinking over these core meanings and images of the natural we wondered:

- How *natural* is it for tropical flora to be widely consumed as hair products in northern societies?
- Babies often cry because they are hungry or ill; some babies are hungrier and more ill than others. Is this natural?

As you can see, it doesn't take long to get from the natural to what looks suspiciously like the social.

WORKBOOK ACTIVITY 2

Question: When is a tree not a tree?

Answer: When it is a desk.

Let us assume that trees count as *natural*. But are the products we make from trees natural? The desk on which this was written is made of MDF. This is basically wood-chips pulped down and remoulded into items of furniture. The wood probably came from a tree specially planted to provide timber for the furniture industry. It was cut in a particular way using sophisticated techniques, transported to a factory, underwent the pulping process, was remoulded into various parts and constructed into desk-like shape and then painted. Is my desk a natural product or is it a product of human society?

Have a look at the list below and ask yourself whether you would consider each one to be natural or not:

sugar

water

clouds.

COMMENT

In each case you can argue it both ways. At some level all these things have a natural version – all existed (as a plant or meteorological phenomenon, etc.) before human beings had evolved. Yet all have been transformed by social practices, technologies and institutions. Human societies have transformed sugar-cane plants by selective breeding and the global dispersion of the plant, not to mention complex manufacturing processes. Water, almost everywhere, has been transformed by human pollutants, and captured and piped through complex irrigation and drinking-water systems. Clouds and the weather more generally are, according to many, intimately affected by human transformations in the composition of the atmosphere.

Clearly matters of definition and conceptualization are at the heart of any discussion of the social and the natural. When we use the word natural, do we mean a nature external to human beings, or something internal to them, like our bodies? Do we mean a nature that is untouched, fixed and determining, or a nature that is impure, malleable and non-determining? However, as the chapters in *The Natural and the Social: Uncertainty, Risk, Change* make clear, social scientists are looking to do more than clear the conceptual air, important as this is. They want to ask better, more interesting and illuminating questions about what the complex mixtures and interactions of the natural and social produce.

As you will see from the Introduction to Book 2, this block is centred on questions of definition and at the core of the block are a series of debates about:

- What do we mean by the social and the natural? Can we really think about them as pure and separate categories?
- What are the consequences of mixing up the natural and the social – both conceptually and practically?

Block 2 pursues these issues by asking two other sets of framing questions which draw upon two of the course themes: *structure and agency* and *uncertainty and diversity*.

In connection with the theme of *structure and agency*, the framing questions include:

- In what sense does the natural world shape or influence the social world?
- In what sense and by what media can the social world transform the natural?

In connection with the theme of *uncertainty and diversity*, the framing questions include:

- Has UK society become more confused, uncertain and diverse in its attitudes to and understanding of the natural world?
- Are we exposed to increasing risks and uncertainties from the natural world?

Key skills

The activities in this workbook are intended to help you develop and entrench some of the skills work you started in the Introductory Block and Block 1, as well as introducing you to some new skills. Building on the Introductory Block and Block 1 you will be working on:

- active reading and note taking;
- note-taking techniques: diagrammatic notes, tabular notes;
- the use of concepts, theories and explanations in constructing social science arguments;
- writing and referencing skills.

All four of these skills are dealt with in Sections 1–4 of this workbook, while Section 7 on assessment and TMA 02 looks at writing skills in more detail with special emphasis on essay planning and structuring the middle sections of your essay.

In addition to this, your work on Block 2 will include

- revisiting the *circuit of knowledge*, with particular emphasis on *evidence*;
- developing key skills for being an independent learner: assessing your own strengths and weaknesses, strategies for coping with study problems, and learning to look backwards.

Learning to look backwards

As an independent learner you need to keep connecting your current studies with the earlier parts of the course. Throughout Sections 1–4 we will be encouraging you to make links across the course.

Assessing your strengths and weaknesses

As an independent learner you need to keep an eye on your own progress and to be honest about what you do well and what you don't do so well. We'll be encouraging you to spend a small amount of time thinking about this each week.

Coping with study problems

One of the main reasons for identifying your weaknesses is to help you develop strategies for dealing with study problems of one kind or another. We will be looking at this in Section 6 of this workbook.

Assessing Block 2

Finally, in Section 7 of this workbook, we will be looking at your assessment on Block 2. TMA 02 comes in two parts. The first part will be assessing your work on using and interpreting *evidence*; the second part will be a more conventional essay, assessing the work you do on Block 2 and using the skills of essay planning and essay structuring developed in this workbook.

▶ **Now, please read the Introduction to Book 2, *The Natural and the Social: Uncertainty, Risk, Change* and listen to Audio-cassette 4, Side A: *Block 2 Overview* and read the associated notes. Then return to this point in the workbook.**

1 HUMAN NATURE

One of the most common ways in which we think about the interrelationship of the natural and the social is the idea of human nature: something specific to the human species that is universally characteristic of all individuals. But beyond this, common sense tends to break down quite quickly. What are the origins of that nature? Are there really features of behaviour and thought that are both specific to human beings and culturally invariant? If there are, can we imagine a plausible mechanism that explains how biological structures shape social action? Is it possible that social and cultural variations in human societies have shaped and reshaped that nature?

In Chapter 1 Steve Hinchliffe and Judith Greene introduce you to some of these questions (Section 1), focusing their argument on one key feature of human life – cognition and intelligence. The chapter then explores three ways in which social scientists have tried to link human nature, human behaviour and human intelligence. However, these different approaches – evolutionary theory (Section 2), genetic inheritance and IQ testing (Section 3), and psychological theories of cognitive development (Section 4) – differ radically in what they believe constitutes the natural, human nature and the mechanisms of natural–social interactions. Not surprisingly you will find that these different approaches not only ask very different questions and make different claims, but draw upon very different sources and types of *evidence* in their investigations.

KEY TASKS

Chapter 1, 'Human Nature'.

- Recognize the definitions and concepts of the social and the natural in the chapter.
- Compare and contrast three different models of the relationship between the social and the natural in shaping human intelligence and recognize the role of concepts and theories in structuring those arguments.
- Begin to explore the variety of types of *evidence* used by social scientists and the *methods* used to obtain it.
- Consolidate your active reading and note-taking techniques.
- Practise the skill of *looking back* across the course.
- Begin to assess your own strengths and weaknesses.

Now please read Chapter 1, 'Human Nature' and then return to this point in the workbook. You should spend around two-thirds of your study time on the chapter and around one-third on this section of the workbook.

1.1 Getting organized: the structure of Chapter 1

By now you will be developing your own repertoire of techniques and strategies for *extracting* information and arguments from chapters and *representing* it in note form for yourself. So what follows is not the only way of doing this. It may not be the right way for you. None the less, work through the following exercises and compare them to your own line of thinking and mode of note taking.

Our strategy goes something like this:

1 *Skim* the chapter, paying special attention to headings, sub-headings and summaries.

2 Look back to our notes from earlier parts of the course on:

   (a) debates over the relationship between the social and the natural – which is clearly most of what the chapter is about, and

   (b) the Introduction to Book 2, especially the key aims of the book to which all chapters refer, and the *key tasks* listed in this workbook.

3 *Active reading* of the chapter, making quick notes.

4 Drawing quick notes together by seeing if:

   (a) we could summarize the structure of the chapter's argument in diagrammatic note form, and

   (b) we could make links between that diagram and our notes on the book themes, course themes and earlier debates in the course.

WORKBOOK ACTIVITY 1.1

Skim read Chapter 1 and make very slim notes on the basis of that reading. If you want a reminder of skim reading techniques have a look at the *Introductory Workbook* (p.17).

COMMENT

Our notes looked like this:

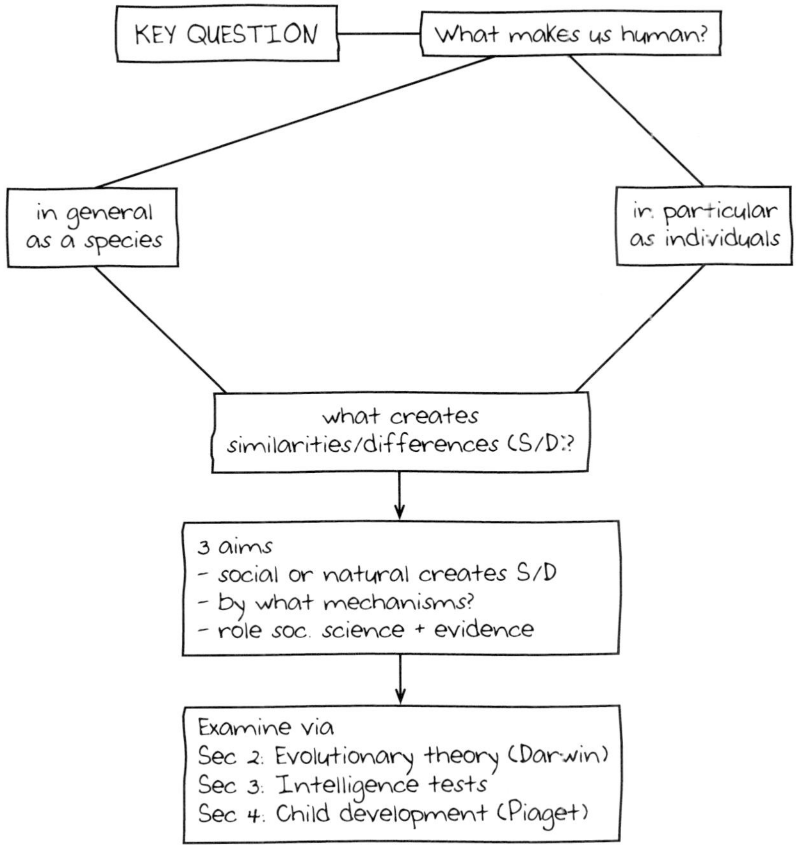

WORKBOOK ACTIVITY 1.2

Now take a look back – no more than ten to fifteen minutes – over your notes from earlier blocks and the Introduction to Book 2.

- What are the key book-wide themes you should bear in mind when you read the chapter in more detail?
- What debates and concerns raised earlier in the course might link to issues in this chapter?
- How might the course themes of *uncertainty and diversity* and *structure and agency* bear on the chapter?

COMMENT

Our notes looked like the following.

If you didn't pick up on some of the earlier material don't worry – but if you have time, take a look back to your own notes on these issues.

1 Book themes and questions.

3 aims:

(a) mixing the social and the natural

(b) how (a) relates to risk and uncertainty

(c) relevance of social science to (a) and (b)

2 Relevant material, early blocks:

(a) biological explanations of crime – Introductory Chapter, Section 4.2

(b) idea of nature as structure! – Introductory Chapter, Section 4.1

(c) biology/nature/identity – Book 1, Chapter 1, especially old age

(d) biology/nature and cognitive development, gendered identities – Book 1, Chapter 2

3 Course themes

(a) uncertainty and diversity:

? How social and natural → differences (i.e. diversity)

? Genetic debates create uncertainty about borderlines of social/natural → moral dilemmas

(b) structure and agency:

? Can we think of biology/genes as structure

? What is the mechanism by which biological structures translate into social impacts

WORKBOOK ACTIVITY 1.3

We assume you have already read the chapter in quite a lot of detail, so relax. We won't be asking you to *actively read* it again. But having read the chapter:

- How did you organize or consolidate your understanding of Chapter 1?
- How would you map its internal structure and argument?
- Did you represent it? Diagrammatically or by other methods?

You can have a go at doing a diagrammatic representation or just compare your own work with our efforts.

COMMENT

Our initial effort looked like this:

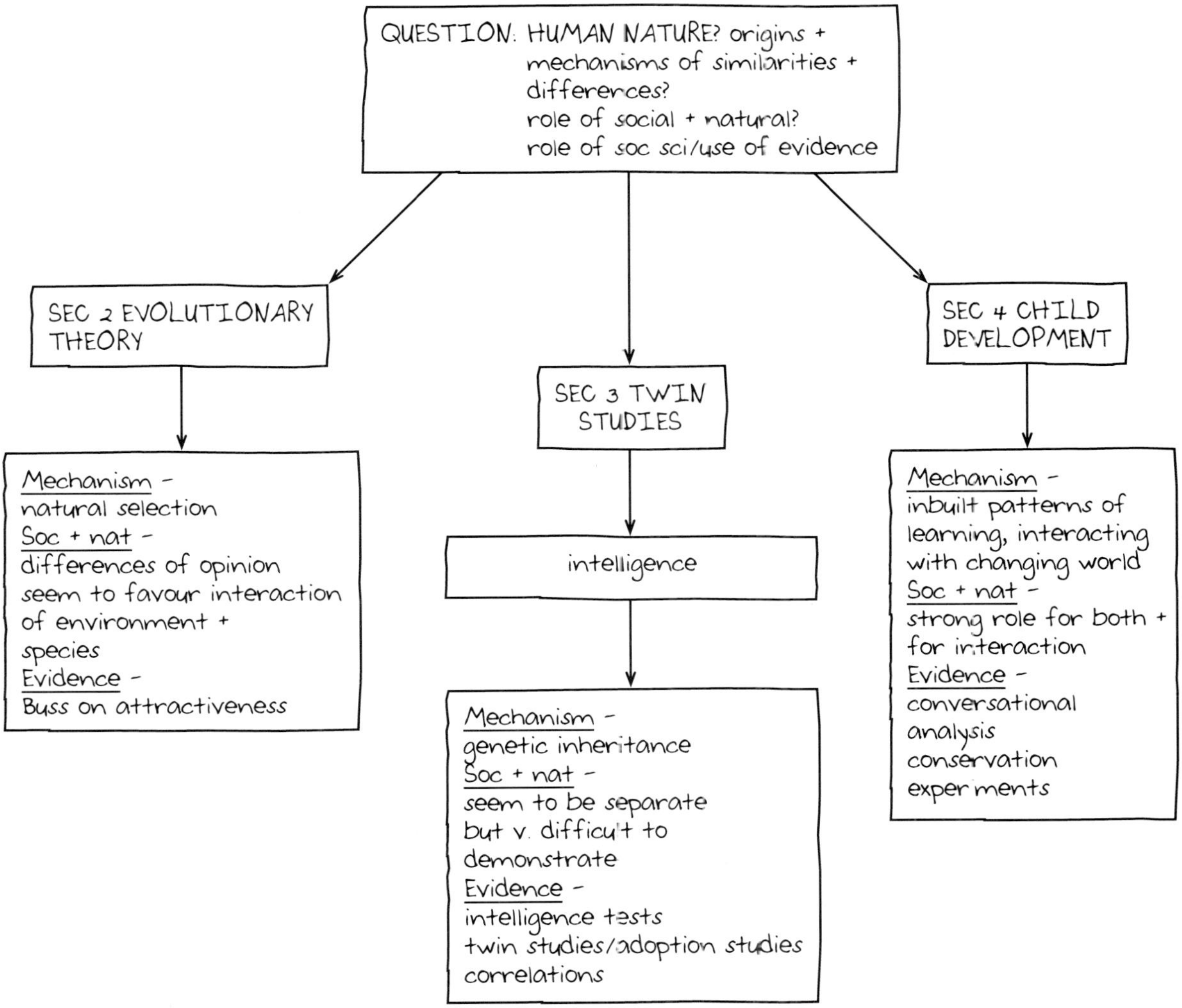

WORKBOOK ACTIVITY 1.4

So the last task in getting ourselves orientated within Chapter 1 is to see if we can link our notes on course themes, book themes, and early material to the above diagram.

Given that we already have three categories/issues that the three core sections of the chapter deal with – i.e. mechanisms of the formation of human nature, the conception and role of the social and natural in shaping human nature, and sources of evidence – we thought we would graft early material on in tabular form.

Have a go at filling in the following grid and compare your version with our completed version.

	Evolutionary theory	Twin studies and adoption studies	Child development
Mechanisms			
Conception of/role of social and natural (book Introduction, Aim 1)			
Uncertainty and diversity (book Introduction, Aim 2)			
Structure and agency			
Connections to earlier material?			

COMMENT

	Evolutionary theory	Twin studies and adoption studies	Child development
Mechanisms	Natural selection	Genetic inheritance	Inbuilt sequence of learning
Conception of/role of social and natural (book Introduction, Aim 1)	Natural dominant, nature = both genes and external environment	Nature = genetic inheritance Social = familial nurturing	Nature = structure of cognition Social = stimulating environment
Uncertainty and diversity (book Introduction, Aim 2)	Concerns over genetic technologies	Concerns over genetic technologies and screening	
Structure and agency	External environment is structure within which whole species' and individual's survival is determined	Minimal role for agency	Some role for child and parent agency in learning
Connections to earlier material?	Buss's work on origins makes selection similar to models of gender behaviour, Bk 1, Ch 2	Similar argument to explaining crime	See Bk 1, Ch 2 on gender categories and learning

We now have a clearer idea of what the chapter is trying to do and the links we can make to other parts of the course. In the rest of this workbook section we will work through a number of the issues raised in more detail. In Section 1.2 we will unpack the mechanisms and conceptions of the social, the natural and their interaction, and focus more closely on precisely what claims are made by each of the different perspectives on intelligence. In Section 1.3 we look in much more detail at the kinds of evidence drawn upon to substantiate these claims and spend some time reflecting more generally on the handling of *evidence* in the social sciences as part of our work on the *circuit of knowledge*. Finally, in Section 1.4, we will ask you to start thinking about your study patterns, and its strengths and weaknesses.

1.2 Getting focused: the key arguments of Chapter 1

In this section we want to unpack the detailed arguments of the core sections of Chapter 1 and, while doing so, we want to do some work on two areas you have already worked on in *Workbook 1*.

1 The relationship between *concepts*, *theories* and *explanations* in the construction of social science arguments.

2 The *circuit of knowledge* and, in particular, the skills of clarifying the core *questions* and *claims* of an argument.

Broadly speaking the accounts of these issues presented in *Workbook 1* were:

- Social science arguments require clear *concepts* for describing the world and framing accurate *questions*.
- *Concepts* are also combined together to generate networks of ideas and arguments – or *theories* – which in turn shape the kinds of questions we are interested in answering and generate *explanations* of social phenomena. It is these explanations that need to be clarified into testable and unambiguous claims.

We can think of these processes diagrammatically:

and

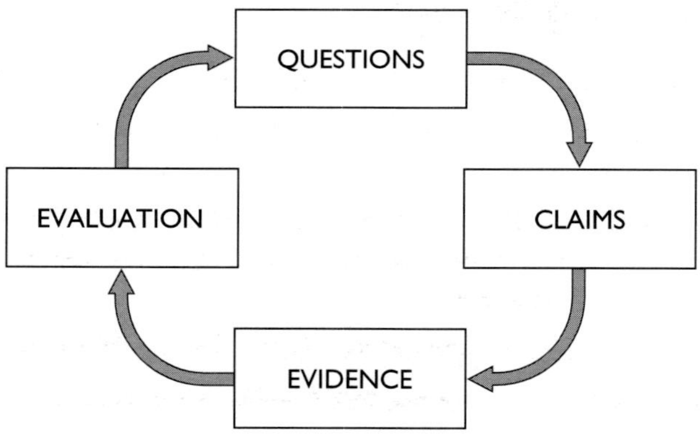

Combined together:

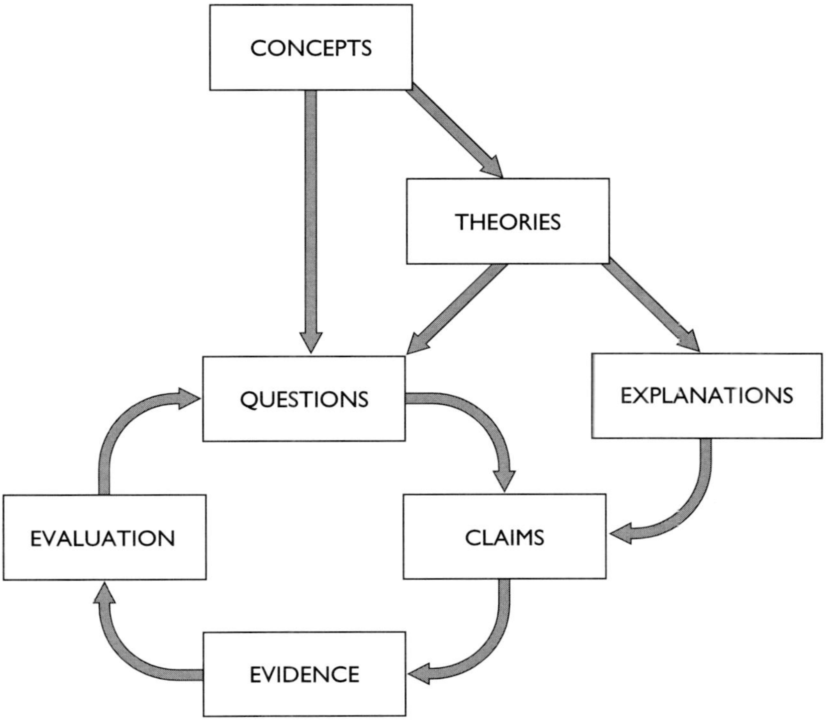

In the following activities we want you to work through your own notes on Chapter 1 – flick back to Book 2 if you need to clarify points – and use them as a basis for identifying the *structure of the argument* developed by advocates of evolutionary theory, twin studies and developmental psychology and the key *questions* and *claims* made by each of these advocates.

WORKBOOK ACTIVITY 1.5

Look over your notes on Chapter 1, Section 2:

- What are the key concepts used here? In particular, how are the natural and social conceptualized?
- How would you connect them, to help understand the key arguments of evolutionary theory and the explanations of the origins and character of human nature that it generates?
- Given this, how would you frame the key questions and claims being pursued?
- What criticisms and counter-arguments are being made in Section 2?

COMMENT

We noted:

Key concepts

species

environment

evolution

genes

organisms

inheritance

adaptation.

The natural and the social

- Natural world is species and environment/inner and outer nature.
- Relationship between these differs in different accounts of Darwinian evolution.
- Some see social as purely derivative of natural forces, others see mixing and interaction.

From concepts to explanations

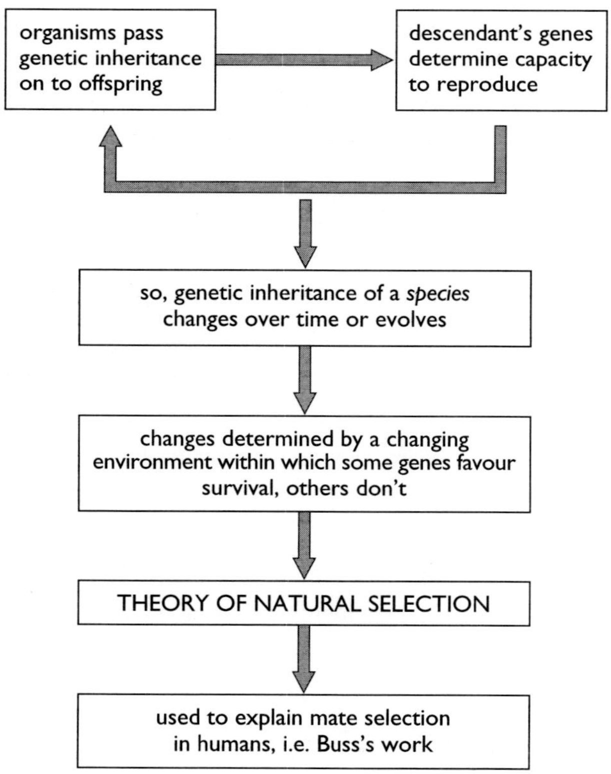

Questions

- How can we explain the changing characteristics, origins and disappearances of species over time?
- To what extent do those species' characteristics shape their social behaviour?

Claims

- The natural selection of inherited genetic characteristics that favour survival and reproduction account for species change.
- Those biological/genetic characteristics are centrally important in determining social behaviour, i.e. mate selection.

Counter claims

- Narrow neo-Darwinism underestimates the dynamic interaction of genes, organisms, species and environments.
- The role of culture and learned behaviour is underestimated.

WORKBOOK ACTIVITY 1.6

Look over your notes on Chapter 1, Section 3:

- What are the key concepts used here? In particular, how are the natural and social conceptualized?
- How would you connect them, to help understand the key arguments of twin studies and the explanations of the origins and character of human nature that they generate?
- Given this, how would you frame the key questions and claims being pursued?
- What criticisms and counter-arguments are being made in Section 3?

COMMENT

Key concepts

genetic inheritance

identical twins

non-identical twins

nature

intelligence.

The natural and the social

- Natural/biological reduced purely to genes.
- Social, quite separate and restricted to familial context.

From concepts to explanations

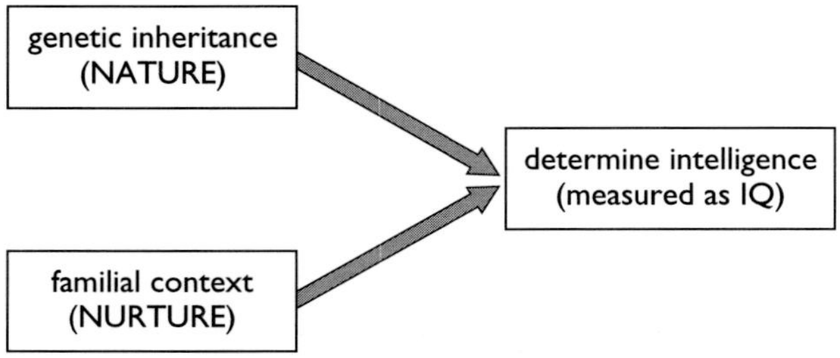

Question

- To what extent is intelligence determined by nature and by nurture?

Claims

If nature is more significant than nurture in determining intelligence then:

- Identical twins' IQ should be more similar than non-identical twins' IQ.
- Adopted children's IQ should correlate more closely with their genetic parents' IQ than with their adoptive parents' IQ.
- Parents' IQ should correlate more closely with their genetic children than with their adopted children.

Counter claims

- IQ is a very problematic measure of intelligence.
- Selective placement of children distorts correlation.

WORKBOOK ACTIVITY 1.7

Look over your notes on Chapter 1, Section 4:

- What are the key concepts used here? In particular, how are the natural and social conceptualized?
- How would you connect them, to help understand the key arguments of developmental psychology and the explanations of the origins and character of human nature that it generates?
- Given this, how would you frame the key questions and claims being pursued?
- What criticisms and counter-arguments are being made in Section 4?

COMMENT

Key concepts

development

intellectual stages

errors.

The natural and the social

- Limited role for social in Piaget's work, challenged by Bruner.
- Natural thought of as 'hard wiring' – predetermined patterns of development/change – although triggered and shaped by interaction with an external environment.

Questions and claims

We have tried to represent the connectors between the structure of the argument and the key claims and questions diagrammatically.

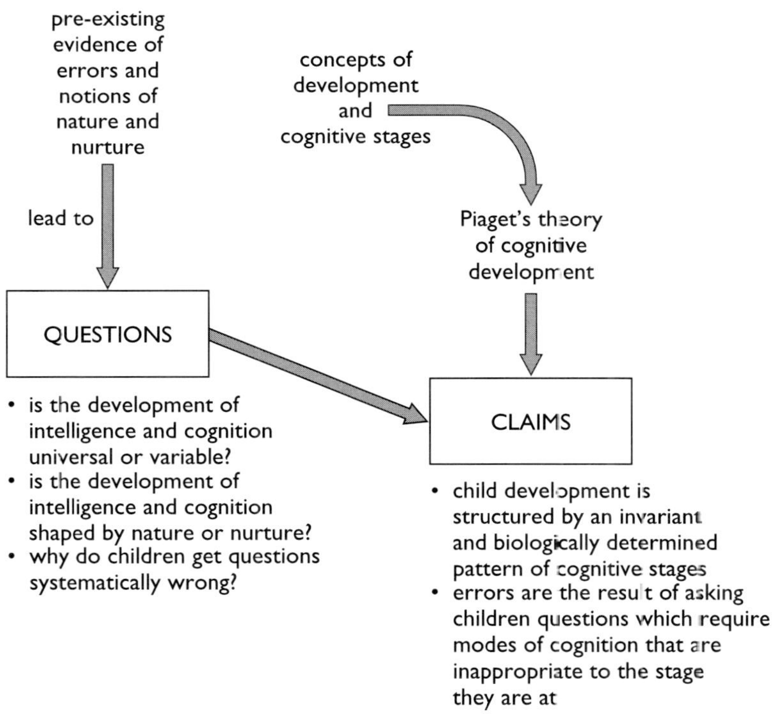

Counter claims

- Note the role of game playing by children when answering questions.
- The role of child–environment interactions can be underestimated.

As you might have realized, all of these accounts of the debates in Chapter 1 stop short of systematically testing the *claims* and *arguments*. For that we need some *evidence*. But, as Sections 1–4 of this workbook make clear, generating and using evidence is as complex a process as generating the questions and claims which required it in the first place.

1.3 Evidence in the social sciences: finding it, using it

We have already touched on the issue of evidence in the social sciences in a number of places in the course. In particular we have noted:

- Evidence has to be obtained or generated from somewhere. The means of doing this are generally referred to as *methods*.
- Evidence comes in different forms. The principal distinction being between *quantitative* and *qualitative* evidence.
- There are a range of methods for gathering evidence. So far, in DD100, you have briefly looked at:

  statistical data from government sources,

  participant observation,

  longitudinal studies,

  analysing questionnaires,

  reading textual sources (newspapers, poems, autobiographies), and

  reading visual sources (TV, photos, adverts).
- Evidence does not come innocently into this world:

  Governments only count what they are interested in, not necessarily what social scientists are interested in.

  Participant observation can alter the behaviour of subjects (e.g. the Chicago School and gang sub-culture in the *Introductory Chapter*, Section 4.4).
- Evidence does not speak for itself. It has to be mobilized, presented and used, and these processes are themselves neither neutral nor intuitive.

You will be doing a lot of work on *evidence* throughout this workbook. In this section, we want to explore these basic points about evidence and the social sciences in connection with the many types of evidence offered and used in Chapter 1.

WORKBOOK ACTIVITY 1.8

Skim your notes on Chapter 1.

What are the key methods and forms of evidence explored in Chapter 1 and in connection with what theories' claims, etc?

COMMENT

We noted the following.

Section 2:

Darwin on wolves

Buss's questionnaires and bar charts

Chimpanzee/human DNA difference.

Section 3:

IQ tests and twin studies

IQ tests and adoption studies

Correlations.

Section 4:

Piaget – conversational analysis

Piaget – naturalistic experiments

Bruner – conversational analysis.

Looking over the list above it should be clear that not all these things are equivalent. For example, an IQ test is a *method* for measuring intelligence, but a single IQ test or a random selection of IQ tests does not generate very useful evidence. IQ testing has to be combined with a second method – a particular way of choosing one's subjects, the individuals and groups of individuals one is going to study.

In Section 3, the subjects of investigation were chosen on the basis of twin studies or adoption studies. However, this kind of structured gathering of *quantitative evidence* needs to be augmented and presented if we want to have a clear sense of what patterns, similarities and differences it contains. In this case the construction of *correlations* has been used to do this. But, even then, as Section 3 argues, how the data are interpreted and used is open to debate. The criticisms of IQ testing and the idea of selective placement certainly suggest that different meanings can be attributed to the data. One way of organizing some of these problems and issues, which apply to all kinds of evidence in the social sciences, looks like this:

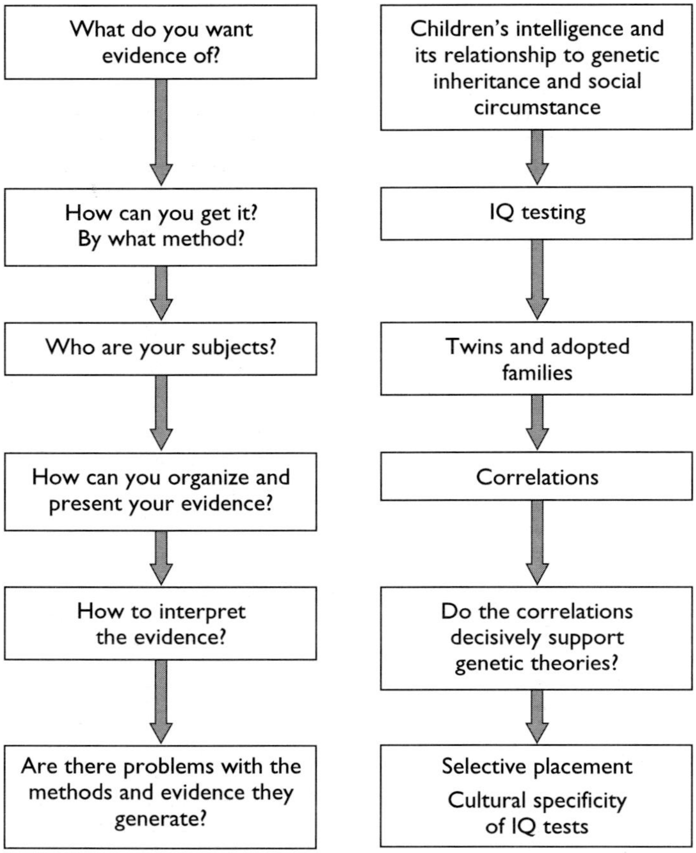

WORKBOOK ACTIVITY 1.9

Try going through the same mode of reasoning with the kinds of evidence deployed by Buss in Section 2 on natural selection and compare your notes with ours.

If you have time, have a go at doing the same for Piaget's work covered in Section 4.

COMMENT

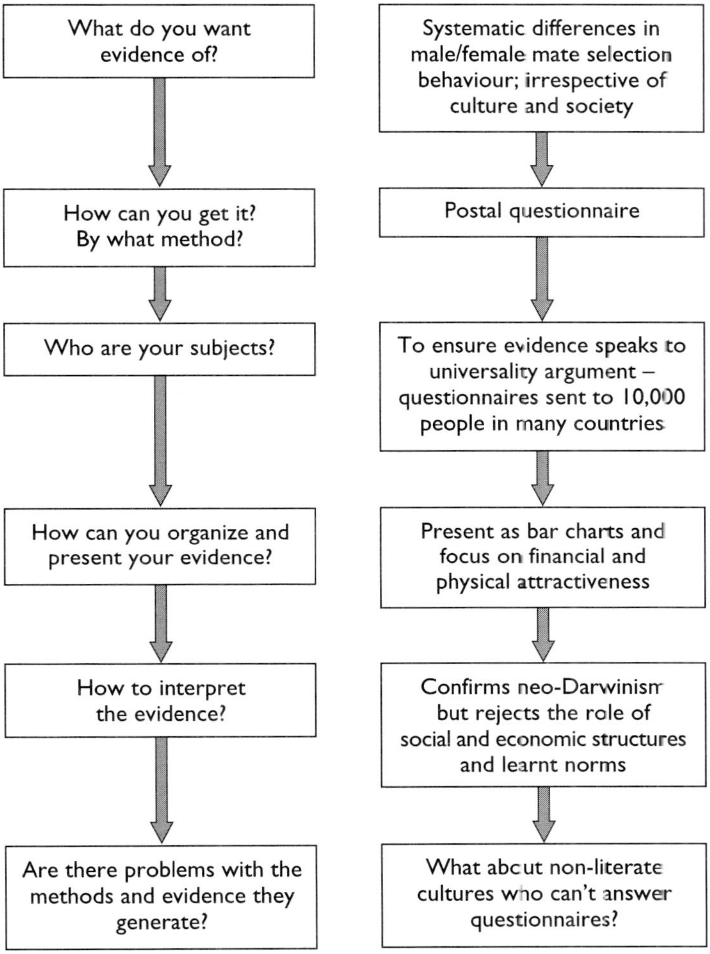

SUMMARY

Handling evidence.

- The evidence social scientists gather is shaped by the questions they ask, the claims they make and the theories they use.
- Evidence comes in two main forms – *quantitative* and *qualitative*.
- There are a variety of *methods* for obtaining evidence, there are important choices to be made about who and where you collect evidence from.
- There are a variety of *methods* for presenting and organizing evidence.
- Once presented, evidence does not speak for itself. It needs to be *interpreted* and it is open to many interpretations.
- The quality, reliability and authenticity of evidence always needs to be probed for potential biases, limits and blind spots.

1.4 Reflecting on your study

Each of you studying this course is different. Each of you has your own particular home and work circumstances which will, for example, make finding the time and space to study easier or more difficult. Each of you will also have a different educational history which will have, in part, shaped your attitude to study. For these, and other reasons, each of you will have an optimum way of studying which is right only for you. The person best placed to discover that optimum approach is you, and the way to uncover it is through critical *reflection* on your own regime and style of study.

What we suggest below is not a recipe for good study technique, but a framework for you to use to help you reflect on and develop an approach to study which will be effective for you.

Find yourself a small notebook or open a file for reflection. Note down answers to the questions below.

Drawing on your experience of studying this course so far:

- *When* do I take in information best?
- *Where* do I feel most comfortable when taking in information?
- *What* is my study pattern, e.g. short periods every day or longer periods once or twice a week?
- *How* do I organize my family, friends and work life to fit? Is it working?
- *Which* tasks am I finding most difficult and which are relatively easy?

As you work through your studies on Block 2 keep these questions at the back of your mind. Note down anything which you think would be worth reflecting on. For instance, you might have a really good study session some time this week. If you do, write down the circumstances, time of day, what you were feeling, how you went about it. Do the same thing for a session which you felt went less well. Then, at the end of this week's work, return to your notebook and answer the questions again, this time in the light of the comments you have noted down. Nobody can tell you what is right for you except you! What is right for you can change from day to day, course to course, or task to task; so, the process of reflection is a continuous one. Once you get into the habit of doing it though, it will simply become part of your learning process. We'll be coming back to these issues in Section 6 of this workbook.

2 WHOSE HEALTH IS IT ANYWAY?

The core argument of Chapter 2 is simple: 'Health ain't what it used to be'. In the post-Second World War years the dominant ideas of what constituted and caused health and illness were those held by the medical profession. Of course, the medical profession and health services remain important in debating these matters formally and informally, publicly and privately (Section 2). However, in the last 30 years, these accounts of health and illness have been challenged by other models: the social model (Section 3), the complementary model (Section 4), and the New Public Health model (Section 5).

The content of these models need not concern you until you get to the chapter. For the moment bear in mind some of the arguments of Book 2, Chapter 1 which are extended and developed in Chapter 2.

- First, the diversity of accounts of the relationship between the social and the natural outlined in Chapter 1 is repeated by the different models of health outlined in Chapter 2.
- While Chapter 1 mainly looked at differences within the social sciences, Chapter 2 looks more explicitly at differences between the natural sciences, social sciences and other cultural frameworks of knowledge.
- In the same way that different models of intelligence suggested different models of appropriate learning, so different models of health favour different public policies – definitions and models have real impacts on the world.
- In Chapter 1, some contemporary uncertainties around the natural and the social were signalled. In Chapter 2, these uncertainties and their social origins are examined more closely.

KEY TASKS

Chapter 2, 'Whose Health is it Anyway?'

- Understanding the core arguments of four models of health and illness and their accounts of the social and the natural.
- Understanding the social origins and consequences of these models in the post-war UK.
- Examining the different sources of *evidence* that each model draws upon and the different standards of *evaluation* that each of the models possess.
- Examining the use of *evidence* and some of the limits of *quantitative* and *qualitative* evidence.
- Using the course themes to explore Chapter 2.
- Working on your writing skills.

Now please read Chapter 2, 'Whose Health is it Anyway?' and then return to this point in the workbook. You should spend around two-thirds of your time on the chapter and one-third on this section of the workbook.

2.1 The social and the natural; the social sciences and the natural sciences

One of the core arguments of Chapter 2 is that each model of health has its own particular conception of the relationship between the social and the natural. This helps to explain why each model has such different explanations of the origins of health and illness, and different standards of evidence, etc. Given the importance accorded to these contested concepts, this is a good moment to begin drawing together some of the threads of the debate that cuts across Book 2.

WORKBOOK ACTIVITY 2.1

In the Introduction to *The Natural and the Social: Uncertainty, Risk, Change* Steve Hinchliffe argued that a central aim of the book was to demonstrate that *pure* definitions and understandings of the relationship between the social and the natural are of limited value; the two are inextricably mixed together.

Of course, this leads to questions such as:

- Irrespective of their interrelationships, what do we mean by the social and the natural?
- What kind of mixing goes on? How can we describe this more specifically?

In this activity we want you to work through your notes on both Chapter 1 and Chapter 2, looking at evolutionary theory and the models of intelligence in Chapter 1 and the models of health in Chapter 2, and focus on the following:

How do they conceptualize (if at all) the natural and the social?

Do they see the natural and the social as separate or mixed?

What kinds of interrelationships do they alert us to, and what do they miss?

Have a go at filling in the grid below and then compare it with our version. If you are uncertain about how to proceed, or what is being asked, take another look at the Introduction to Book 2 and your responses to the activities in the introduction to this workbook.

	Concepts of social and natural	Pure or mixed?	Key interrelationships and concepts
Evolutionary theory			
Twin studies			
Developmental psychology			
Medical model			
Social model			
Complementary model			
New Public Health model			

COMMENT

	Concepts of social and natural	Pure or mixed?	Key interrelationships and concepts
Evolutionary theory	Natural as genes and environment	Completely separate	Natural selection
Twin studies	Natural = genes Social = nurture	Completely separate	Genetic inheritance
Developmental psychology	Natural = cognitive stages Social = nurture	Some limited mixing	Cognitive stages and effect of environment
Medical model	Natural = body and environment	Some limited mixing	Disease, medical practice
Social model		Some limited mixing	Impact of material and cultural structures on bodies
Complementary model	Holistically linked	Very mixed, inseparable	Balance, holism
New Public Health model	Combines variety of understandings	Mixed	Lifestyle, risk

At first sight this kind of grid can be very confusing. A lot of different models and different opinions. Can we find a way of organizing them that makes things simpler?

It seems that on the issue of whether the natural and the social are separate or mixed, the debates tend towards two points on a spectrum that runs from completely separate at one extreme to completely mixed at the other. The complementary model of health and its notion of holism lies at the mixed end and strong versions of genetic inheritance and neo-Darwinism lie at the separate end of the spectrum.

WORKBOOK ACTIVITY 2.2

Where do the other models lie on this spectrum?

There are definitely no right answers to this one, but use your judgement to place the different ways of thinking about the social and the natural on the following diagram.

Social and natural separate		Social and natural mixed
• strong neo-Darwinism/ genetic inheritance		• complementary model

COMMENT

Our diagram looked like this:

Social and natural separate				Social and natural mixed
• strong neo-Darwinism/ genetic inheritance	• medical model • social model	• developmental psychology	• New Public Health model	• complementary model

WORKBOOK ACTIVITY 2.3

Note that in the diagram above, we placed the medical and the social models very closely together. Yet they are clearly very different ways of thinking about the world:

- What is their principal point of difference?

We suggest it is the emphasis they place on the relative importance of the natural and social structures in shaping health and illness that really differentiates them. A similar distinction could be drawn between accounts of intelligence and the relative weight of the natural and social in creating it.

Combining this way of thinking with our original diagram would allow us to order the models based on the following:

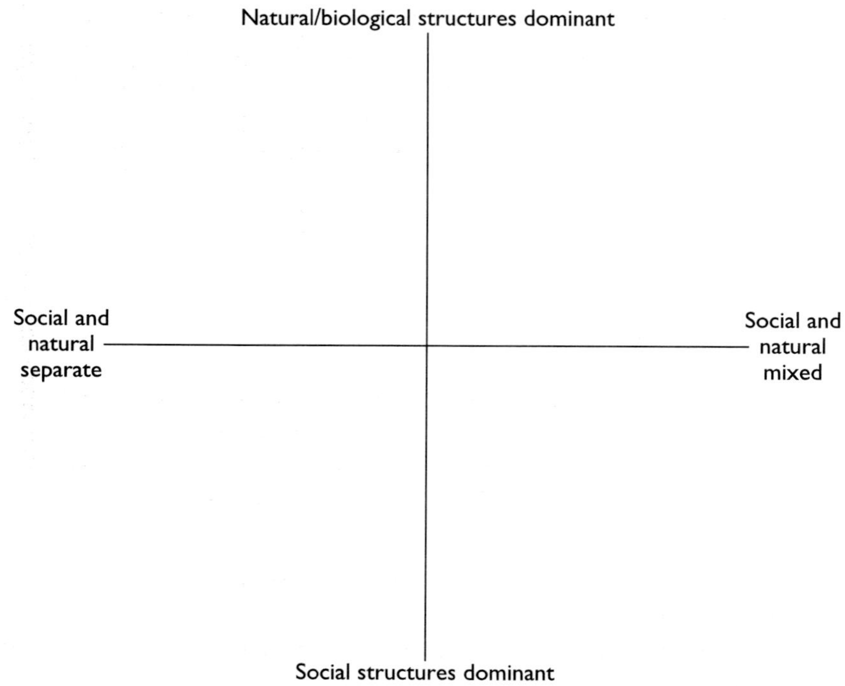

Try placing the different accounts of the social and the natural on this diagram and compare it with ours below.

COMMENT

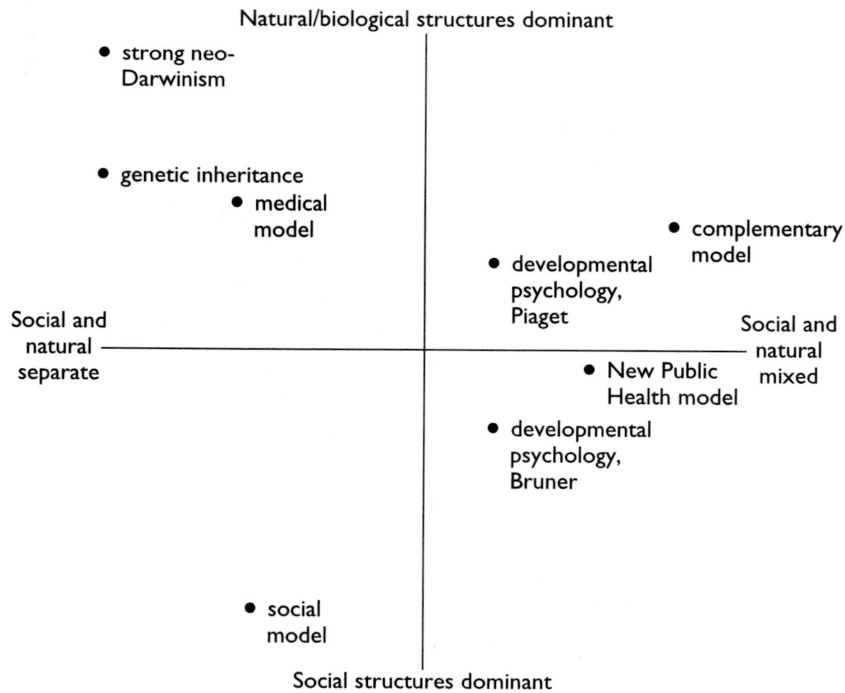

The exact positions of all these models on the diagram is of course open to debate. You may well disagree with our diagram, you may even feel that we have chosen the wrong kinds of categories to organize the material. Settling these debates would require both more detailed accounts of the claims and arguments of all the positions outlined and a very careful balancing and weighing of these arguments against each other. For the moment, if you can bear it, stick with our diagram.

WORKBOOK ACTIVITY 2.4

Think back for a moment to the discussion on Audio-cassette 1, Side A: *What are the Social Sciences?* Yes, the cassette you listened to eons ago, right at the start of the course. The participants argued that the relationship between the social sciences and the natural sciences is a complex and contested one, with plenty of grey area in between.

Look back to the last diagram (in the Comment on Workbook Activity 2.3). Do you see how there are distinct clusters of points on the grid? Draw a line around these points that you think fall within social sciences and around those that fall within the natural sciences.

COMMENT

Ours looked like this:

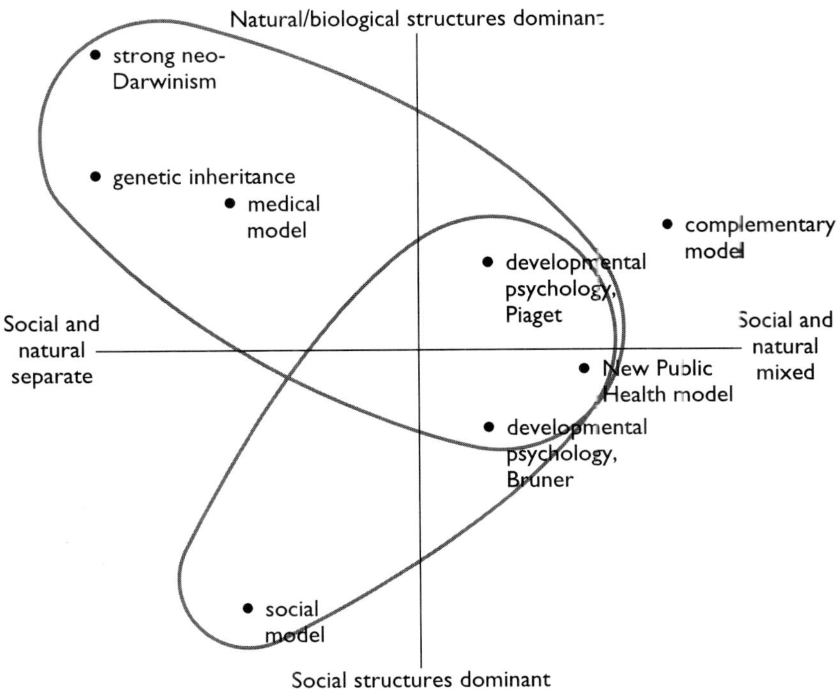

To put it another way:

- Natural science approaches
  neo-Darwinism
  genetic inheritance
  medical model of health
- Social science approaches
  social model of health
- Combined approaches
  developmental psychology
  New Public Health
- Not categorized
  complementary model.

We hope you can see how ways of conceiving and prioritizing the social and the natural are part of what distinguishes the social and the natural sciences – although clearly there are areas of overlap. In addition, these systems of knowledge generate, use, and present evidence in different ways. It is to this that we turn in Section 2.2 below.

2.2 Evidence in the natural sciences and social sciences

In this section we will be building on the work you have already done on *evidence* in Section 1.3 of this workbook by examining the different ways in which each of the four models of health in Chapter 2 mobilizes and presents evidence. We will be looking in particular at:

- How the social and natural sciences handle evidence, their similarities and differences.
- Some of the problems associated with the collection and presentation of evidence in both.

WORKBOOK ACTIVITY 2.5

Go back to the summary grid at the end of Chapter 2 (p.77) and note the different sources of evidence each of the four models draws upon. Do you recall any of the questions about evidence and methods asked in Section 1.2 of this workbook? If not, have a quick skim through and then try filling in the grid below.

	Medical model	Social model	Complementary model	New Public Health model
Broad framework	Natural sciences	Social sciences	Uncategorized	Combined natural and social science
Specific examples	Aspirin trials	SMRs and class	Judging impact of treatments	Risk assessments Lifestyle analysis
Obtaining evidence				
Organizing evidence				
Problems of interpretation				
Problems of evidence				

WORKBOOK ACTIVITY 2.6

Look at the figure below, reproduced from Chapter 2, Section 3.

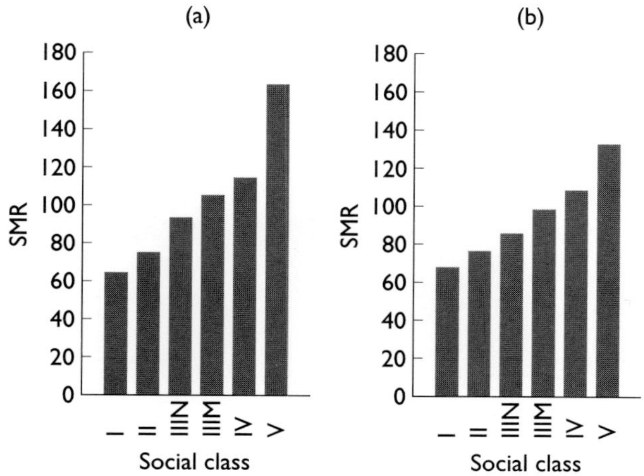

FIGURE 3 (a) Adult (20–64) male mortality rates, by social class, Britain, 1979–83; (b) Adult (20–59) female mortality rates, by social class, Britain, 1979–83 (Figure 2.6(a) and (b) from Chapter 2)

Source: Whitehead, 1992, Figure 1, p.230

- How was the evidence obtained, by whom, for whom?
- How has the evidence been organized?
- Could there be conflicting interpretations of this evidence?
- Is there anything about this evidence that seems incomplete or problematic?

Make some notes and compare them with ours.

COMMENT

Obtaining and organizing evidence

The evidence presented in the two parts of the figure concerns standardized mortality ratios (SMRs) for adults organized by social class based on occupational group.

SMRs are a statistical device for measuring and comparing the health of different populations. If a region or an occupational group, for example, has a disproportionately high number of older people within it, this will – other things being equal – produce a higher death rate and lower life expectancy. However, we want to know about the impact of social class and geography on health, not old age. So we need to manipulate whatever data we have to take account of different age structures. So, by the time one begins looking at these kinds of figures a whole series of social science methods have been put to work:

Data on death rates calculated from cumulative data on death certificates for the Department of Health (including age, cause of death, occupation at time of death)

↓

Statistical transformation of those data produce:
- mortality rates
- then converting for age, etc. standardized mortality rates

↓

Data presented in bar chart format

Conflicting interpretations

At first sight the meaning of the data might seem clear. The lower on the social scale or in the occupational structure a person is, the lower their life expectancy and thus, in turn, we can argue the poorer their general state of health. However, some social scientists have argued that the relationship is a *statistical artefact*. The result of the statistical manipulation rather than reflective of a real phenomenon. Others have argued that rather than social class explaining health, health explains social class. The ill and the infirm are unlikely to be able to compete for the most prestigious jobs, finish courses of education, etc. (for a fuller account of these arguments about handling evidence take a look at Reading 2.1 below).

Even with the social model, which would reflect both of the arguments above, there is disagreement over how to interpret and explain the relationship between social class and SMRs. One school of thought emphasizes structural, material and economic circumstances. So poor diets, damp houses and dangerous environments cause ill health. Another school of thought emphasizes cultural contexts and agents' choices: smoking, drinking, lack of exercise, failure to effectively use health services. Resolving this debate would require a lot more evidence and different types of evidence.

Problems with the data

Another set of problems and limits came to our mind:

1 How reliable is the recording of occupations at death?

2 What if someone has spent most of their life as a middle manager (social class V) but ended their working career as a shop assistant? How should their occupation be recorded?

3 How are carers classified? Along with the main earner in the household? Wouldn't this distort the data on women in particular?

4 While the link between death rates and health is obvious, it is a very thin picture of the state of the nation's health; what about data on chronic diseases and conditions? What about social factors other than occupation?

READING 2.1

Sir Douglas Black *et al.*: 'The Black Report'

Chapter 6: Towards an Explanation of Health Inequalities

The artefact explanation

This approach suggests that both health and class are artificial variables thrown up by attempts to measure social phenomena and that the relationship between them may itself be an artefact of little causal significance. Accordingly, the failure of health inequalities to diminish in recent decades is believed to be explained to a greater or lesser extent by the reduction in the proportion of the population in the poorest occupational classes. It is believed that the failure to reduce the gap *between* classes has been counter-balanced by the shrinkage in the relative size of the poorer classes themselves. The implication is that the upwardly mobile are found to have better health than those who remain, or that their health subsequently improves relative to the health of those they join. We would make two comments. One is that informed examination of successive census reports shows that the poorer occupational classes have contracted less sharply than often supposed ... The other is that indicators of relatively poor progress in health apply to much larger sections of the manual occupational classes than just those who are 'unskilled' ...

Natural and social selection

Occupational class is here relegated to the state of dependent variable and health acquires the greater degree of causal significance. The occupational class structure is seen as a filter or sorter of human beings and one of the major bases of selection is health, that is, physical strength, vigour or agility. It is inferred that the Registrar General's class I has the lowest rate of premature mortality because it is made up of the strongest and most robust men and women in the population. Class V by contrast contains the weakest and most frail people. Put another way, this explanation suggests that physical weakness or poor health carries low social worth as well as low economic reward, but that these factors play no causal role in the event of high mortality. Their relationship is strictly reflective. Those men and women who by virtue of innate physical characteristics are destined to live the shortest lives also reap meagre rewards. This type of explanation has been invoked to explain the preponderance of individuals with severe mental disorders in social class V ... It is postulated that affected people *drift* to the bottom rung of the Registrar General's occupational scale.

Similar selective processes are thought to occur with other forms of disease even though the extent of drift may not be so great and there is little actual evidence of it.

Source: Black *et al.*, 1992, pp.105–6

As you can see from the activity above, handling data in the social sciences is a tricky affair. In the next activity we compare this with the handling of evidence in the medical model of health in particular and the natural sciences in general.

WORKBOOK ACTIVITY 2.7

Look back to your notes on Chapter 2, Section 2.2 on the handling of evidence in the medical model and the account given of the aspirin drug trials.

Again, note down your thoughts on the same questions we posed for the SMR evidence and the social model.

- How was the evidence obtained, by whom, for whom?
- How was the evidence organized?
- Could there be conflicting interpretations of this evidence?
- Is there anything about this evidence that is incomplete or problematic?

COMMENT

Skimming through our notes we put down the following:

Getting evidence

- in general by *objective observation* producing *facts*
- in the aspirin case by recording survival rates of heart-attack patients.

Organizing evidence

- not really dealt with in the chapter, but in the aspirin case the different structures and class origins of the two populations taking drug A and drug B would need to be taken into account – otherwise the data might measure the impact of social class on the survival rates rather than the drugs.

Interpretations and problems

- in general, can we describe this kind of evidence as objective?
- a great deal of medical information and evidence is accumulated in GP's surgeries. Is it possible that two different doctors/practitioners could examine the same patient and come up with different accounts of symptoms and propose different diagnoses and courses of treatment?

Looking back over the two activities above, it seems that there are both similarities and differences in the ways the social and the natural sciences collect, use and evaluate evidence. But, perhaps, the key difference is how they conceptualize the relationship between an observer and their subject matter. For the natural sciences, in its strongest form, the act of observing and recording the world is unproblematic, providing a very clear account is given of procedure (so that it can be repeated). Social scientists argue that there is interaction between observers and the world for two key reasons

1 Observation is always structured by the existing ideas and descriptive language. The philosopher Karl Popper once began a lecture course on this topic by saying to his class 'observe' and then sitting down in silence.

Ten minutes later a student asked, 'observe what' – and that is the point; observation is never a neutral, disinterested act, it is always, however vaguely, directed to some end or purpose.

2 Observation and recording are practical, conceptual, complex skills in which human judgements and beliefs constantly interfere. Think back to the dilemma of the coroner trying to record a person's occupation at the time of death.

WORKBOOK ACTIVITY 2.8

Read the two accounts in Reading 2.2 which compare the ways in which conventional and complementary medical practitioners gather evidence about a patient's condition.

Note down the key differences. How do the broad frameworks of these two models shape that process?

READING 2.2

Geoff Watts: 'Into the consulting rooms. Differences in the practice of orthodox and complementary medicine'

Orthodox medicine:

Bill, a man in his early forties, began to experience bouts of pain and stiffness in his right knee. From time to time it would seize up while he was sitting working or watching television. Straightening it then caused him pain – as did going downstairs, though not up. Not someone inclined to visit the doctor more often than he needed, Bill ignored the problem for as long as he could. But at the back of his mind there was one worry; that this might be the first hint of arthritis.

Eventually he did visit the doctor. Although he'd been registered with his GP for ten years, neither Bill nor the doctor could claim to know one another. The consultation, conducted at the usual brisk pace, lasted between four and five minutes. The GP made a cursory examination of the appearance and feel of the knee. He asked Bill to flex and extend it twice, and said he could detect a faint creaking. He suggested that Bill had probably banged it, and that the symptoms were no more than a late indication of damage that was now healing. However, he told Bill to arrange for an X-ray at the local teaching hospital and in the meantime he prescribed pain-killing drugs. These were quite effective.

Arranging for the X-ray took about a fortnight, and it was a further five days before the results were phoned through to the GP. There was nothing to see on the X-ray, and the GP referred Bill to the orthopaedic outpatient clinic at the local hospital. This took another three weeks. Although Bill had the first appointment of the afternoon, the consultant who was to examine him arrived thirty minutes late. After a further fifteen minutes – while Bill waited, minus his trousers, in a cubicle – the consultant entered, examined the knee, felt its movement, confirmed that the X-ray showed no signs of arthritis, and added his opinion that the symptoms were most likely a consequence of some forgotten injury. Throughout this short consultation the doctor remained, if not uninterested, then wholly detached. Having told Bill to come back if the problem didn't clear up of its own accord, he left. Fortunately, the problem did clear up. Bill's only recollection of the consultant as a person was that he'd been wearing his white coat with the collar turned up. Bill couldn't decide if this was an oversight or some curious affectation.

Complementary medicine:

Mavis, in her late fifties and a bit of a worrier, was going through an even more worrying time than usual. She'd been diagnosed as having a hiatus hernia, and the hospital consultant had told her that he wanted to perform an endoscopy. Mavis knew what was involved because a relative had undergone the same procedure a year or two previously. She spent a week getting herself psyched up to face the ordeal – only to receive a last minute phone call postponing the appointment for ten days. This proved to be the last straw: she became acutely anxious; she began sleeping badly. So she went to see the herbalist she had consulted the last time her nerves had become troublesome. Her GP had already offered her Valium; but Mavis had read a lot about the risks of addiction to minor tranquillisers. She felt safer taking a herbal remedy – particularly as the one she had taken previously had been so effective.

Although the herbalist grasped the nature of the problem within a couple of minutes, and looked in her notes to see what she had taken last time, he didn't go immediately to the dispensary. Instead he asked Mavis to tell him about her health since he had last seen her, and about the events that had led to the hospital appointment. He was not aiming to intrude on territory being explored by the hospital, but he wanted to get a full picture.

He didn't press Mavis for details, but with his open, enquiring and sympathetic manner he didn't need to. Ten minutes into the consultation Mavis became much calmer, and explained the difficulties she'd been having in swallowing. The herbalist suggested she try some slippery elm. This can be made into a nourishing gruel that is easy to swallow. Mavis also mentioned that she had developed an ache in the base of her neck that had spread to her shoulders. The practitioner examined the area, felt it, and suggested that it was most likely to be another consequence of the stress she had been suffering. He recommended some exercises that involved pulling the shoulders back, rotating the head and breathing deeply.

For Mavis's anxiety and insomnia the herbalist prescribed a mixture of valerian, skullcap and motherwort. But what might, in a different context, have been a call to pick up a repeat prescription had instead become a complete health check that lasted almost thirty minutes.

Source: Watts, 1992, pp.51–2, 57–8

WORKBOOK ACTIVITY 2.9

As a final activity on the complexities and perils of gathering and using evidence we want you to think about how risk factors and assessments – an essential component of the New Public Health model – are used, and what some of the problems with them might be.

Make quick notes on the following extracts, focusing on the use of evidence.

READING 2.3

Anthony McMichael: 'Planetary overload: global environmental change and the health of the human species'

Toxic environmental pollutants act directly on human health. Therefore, their effects can usually be measured – and the aggregate health risk to an exposed population can be estimated. However, for ... environmental changes [such as climate changes or ozone depletion] there are two basic obstacles to estimating risks. First, many effects are likely to occur via indirect mechanisms and not by direct toxicity. Second, various of the predicted problems are without precedent, and so we lack empirical evidence of their effects. Thus, in estimating the impacts of some of the environmental changes, scientists may have to 'fly blind', or at least with partial vision, since we do not know the full range of ecologically-mediated consequences. Nor can we afford to wait for the body-counts ...

To estimate the consequences of most global environmental changes, we necessarily depend on extrapolation from analogous exposure circumstances, or else we must do simulation experiments or computer modelling. Laboratory experiments are unlikely to be of much use since they typically entail simplified systems to test the effect of varying just one factor while all other factors are held constant. The real world of ecosystems is not like that; everything else does not stay constant.

Consider ozone layer depletion. We could estimate the increase in the incidence of skin cancer caused by, say, a 5% increase in ground-level exposure to ultraviolet radiation (specifically the cancer-causing band, UV-B) by extrapolation from the already-documented variations in skin cancer rates between geographic locations that naturally experience that same difference (5%) in UV-B. But if we want to estimate the impact of increased UV-B irradiation upon crop growth, then we may need to carry out a simulation experiment in the field laboratory. The results of that experiment might subsequently be factored into a computerised model of the overall effects of complex climate change upon agricultural production. Those results, in turn, could be entered into a computerised model of the effects of altered food supply upon population health. So the plot thickens with each step!

Alternatively, we could wait and see what actually happens in the fullness of real time! But if we sit back and wait for an unequivocal upturn in the incidence of ultraviolet-induced skin cancers we will lose valuable decision-making time. Given the decades-long 'latency' period for skin cancer, an upturn could take at least 20–30 years to become evident, by which time ozone layer depletion might have increased substantially. Besides, as public awareness increases over coming decades, behaviours related to personal exposure to sunlight will change. People will wear more protective clothing; they will avoid going outside at high-exposure times; and they will use more sunscreen. Those behaviour changes would therefore obscure the essential environmental problem – i.e. a change in the skin cancer-inducing potential of our ground-level environment.

Source: McMichael, 1993, pp.75–7

READING 2.4

Ross Hume Hall: 'Health and the global environment'

Risk assessment is a bureaucratic way of looking at the world. [Consider] the controversy over Alar (daminozide), a chemical sprayed on apples to strengthen their stems. At question was the interpretation of Alar's risk assessment: the EPA [Environmental Protection Agency] and Uniroyal Chemical Company, the maker, felt that the amount of Alar in apples was below the threshold at which it causes harm; the public, especially parents of children, felt otherwise. Uniroyal withdrew the product when apple sales plummeted. But throughout the controversy the fact that apples are contaminated with the residues of two dozen or more pesticides, plus an unknown number of industrial chemicals, did not enter public debate, although apple eaters and cider drinkers are exposed to the whole cocktail. Risk assessment based on Alar failed to address this cocktail. The combinations of different pesticides and industrial chemicals vary from apple to apple, so there is no way of knowing what is on your particular apple. Government regulators say that because of this uncertainty they do not know how to assess the cocktail. Thus the real hazard of eating apples remains unknown, even unstudied

Environment bureaucrats, because they say they have no alternative, stick with risk assessment of single chemicals. This perseverance amounts to an addiction, and like other forms of addiction, it gives a false sense of safety; and critically, it removes the incentive to come up with an alternative that would give a more realistic appraisal of the world.

Source: Hall, 1990, p.99

COMMENT

Measuring risks of environmental change – two problems:

1 indirect impacts

2 predictors of unprecedented events – no evidence.

Alternative:

(a) extrapolation

(b) simulations and computer modelling

(c) wait and see what happens

but (c) is dangerous and people change their behaviour

(a) and (b) involve very complex and artificial assumptions.

2.3 Using the course themes in Chapter 2

Chapter 2 asks 'whose health is it?' Who is responsible for an individual's health and for the nation's health? As you can probably see, these are, in fact, questions of *structure and agency*:

- Are health and illness primarily determined by established biological structures (our body and genetic make-up) and/or economic structures (of wealth and occupation)?
- Are health and illness primarily determined by individual actions, choices and decisions; to take up a healthy or unhealthy lifestyle, for example; or to be in tune or not with your natural energies?

WORKBOOK ACTIVITY 2.10

Skim your notes on the four models of health and note down:

- What structures, if any, impact upon health and illness?
- What role does agency, and whose agency in particular, play in determining health and illness?

COMMENT

Our notes looked like this:

Medical	Structure	Primarily biological structures – genes and body – but structure broken down into systems, organs, etc.
	Agency	Doctor's agency very important. Small role for patients – to follow doctor's advice.
Social	Structure	Primarily social structures – class, gender, ethnicity.
	Agency	Material explanations give limited role to agency. Cultural explanations give role to choice – but choices structured by material circumstances.

Complementary	Structure	Holistic structures important – but encompasses almost everything.
	Agency	Practitioner and patient agency absolutely central to origins of illness and potential for healing.
New Public Health	Structure	This model recognizes multiple structures – economic, cultural, biological, including external polluted environment.
	Agency	Adoption of lifestyles, individual risk assessment and risk avoidance important.

WORKBOOK ACTIVITY 2.11

Again, we seem to have two spectrums of difference: the relative importance of structure and agency; and the relative importance of natural and social structures, or their inextricable connections.

Where would you place the four models on the diagram below?

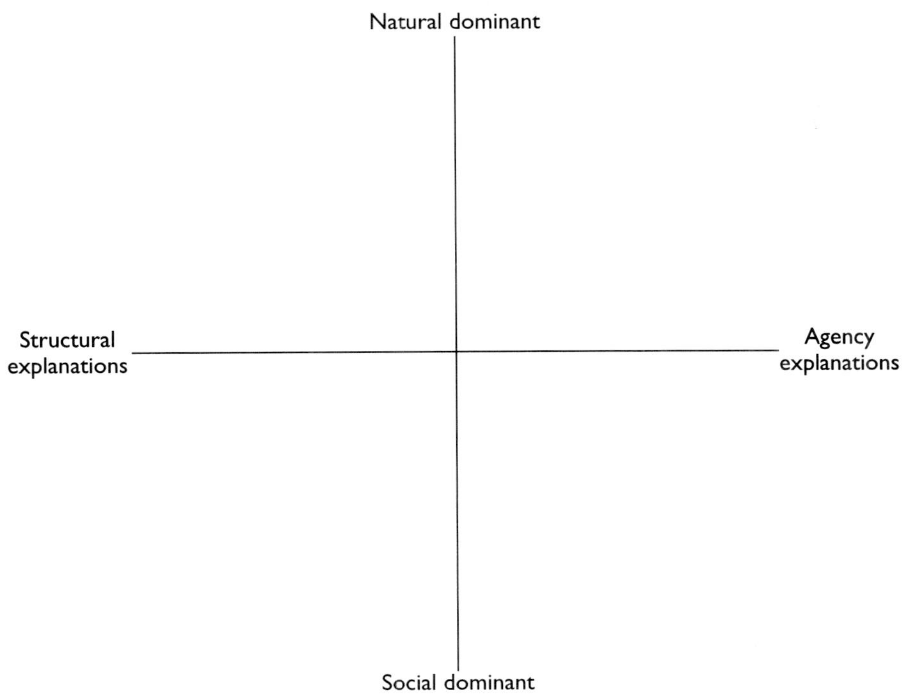

COMMENT

Our version looked like this:

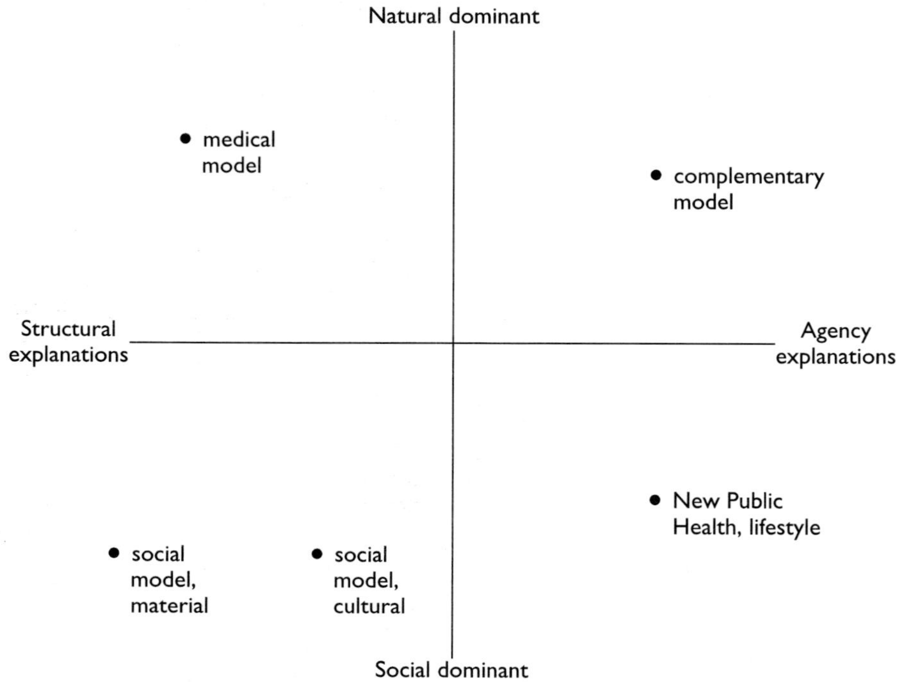

The course theme of *uncertainty and diversity* also plays a key part in organizing Chapter 2.

WORKBOOK ACTIVITY 2.12

How does the narrative of the changing status and role of the models of health in the post-war UK draw upon this course theme?

Can you represent these biological and cultural shifts diagrammatically?

Think about:

1 When did the model emerge/develop?

2 Did the models, and the ways of thinking they encapsulate, react to each other and shape each other's development?

3 How might you describe these encounters? Synthesis, conflict, etc.

Have a go and compare your notes with ours.

COMMENT

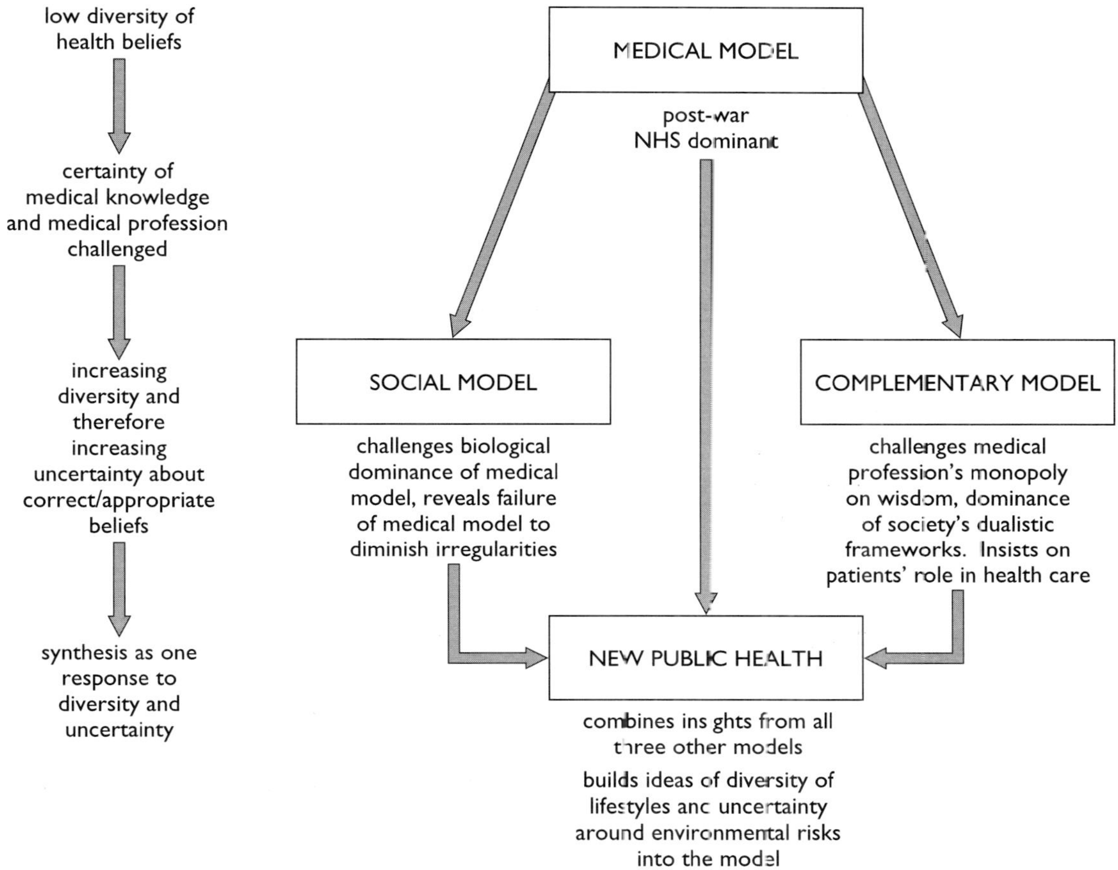

2.4 Writing skills: structuring your argument

In *Workbook 1* you worked on your writing skills and the structure of a social science essay. In this section we want you to keep working at this. But we are going to focus on how the middle section of an essay (topped and tailed by an introduction and conclusion) works.

Essays need a strong and coherent structure if you are to convince your reader of your case. Central to this is the process of building an argument, that is, making each point follow on from the previous one. In some ways creating a logical progression to a social sciences argument is not dissimilar to the way we argue in everyday life.

Imagine a discussion about whether it is better to shop at Waitrose rather than Sainsbury's. This is a discussion which we stress is not intended to bear any relation to the facts.

> 'I think you'd be better off shopping at Waitrose.'
>
> 'It's a lot more convenient than Sainsbury's and they have a wider range of goods and the stuff's better quality. Their staff always seem to know the store inside out and can tell you whether or not they stock a particular item and what shelf it's on. And they're a lot friendlier there.'
>
> 'Waitrose is convenient because there are seldom long queues to wait in. That means you don't have to spend more time waiting to pay for your stuff than it took you to go around the store gathering it in.'
>
> 'My girlfriend likes chocolates, and Waitrose stock chocolates you've probably never heard of before. My girlfriend's always amazed at what I bring home.' Etc.
>
> (Redman *et al.*, 1998, p.36)

If we look at this imagined discussion carefully we can see a logical progression to it: that is, we can see the way it builds an argument. If we break it down it looks something like this:

- *Outlines a particular point of view*
  'I think you'd be better off shopping at Waitrose.'
- *Gives reasons for holding this view*
  'It's a lot more convenient than Sainsbury's ... they have a wider range of goods ... the stuff's better quality', and so on.
- *Gives evidence (in an essay theoretical arguments might be cited) to back up these claims*
  Waitrose is convenient because 'there are seldom long queues to wait in'; they have a wider range of goods because they 'stock chocolates you've probably never heard of'.

We can represent the stages of this process diagrammatically:

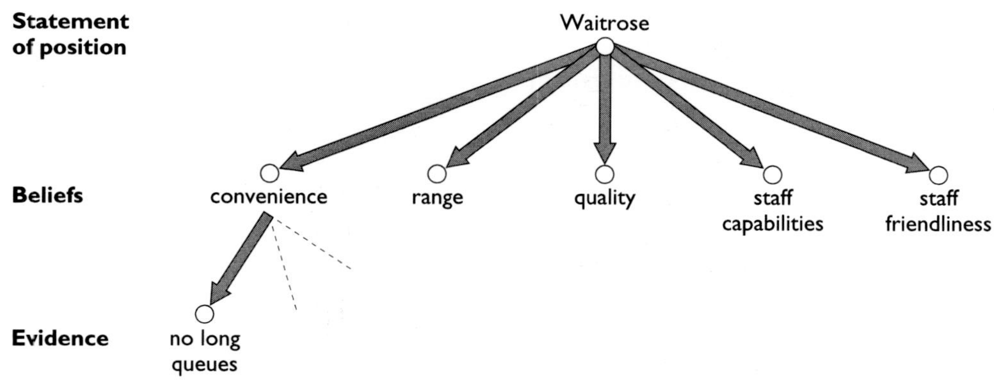

Source: Redman *et al.*, 1998, p.37

Of course, if this had been a formal essay, you probably would have had to complete it with some kind of evaluation (a section pointing to the limitations as well as the strengths of the argument) together with a summary of the main points.

SUMMARY

- The argument in the main section of an essay needs to have 'logical progression'.
- We construct logically progressing arguments in everyday life.
- Logical progression involves: outlining a particular point of view, giving reasons why this point of view might be correct, and providing evidence to support these claims.

WORKBOOK ACTIVITY 2.13

Now have a go yourself, writing no more than 200 words on *one* of the following:

Question 1. The social model of health provides a more convincing explanation of health and illness than the medical model. Discuss.

or

Question 2. The scientific outlook of the medical model of health is both its greatest strength and greatest weakness. Discuss.

Try constructing an essay plan first – using the diagram method outlined above.

COMMENT

Our plan for Question 1 looked like this.

Question 1. The social model of health provides a more convincing explanation of health and illness than the medical model. Discuss.

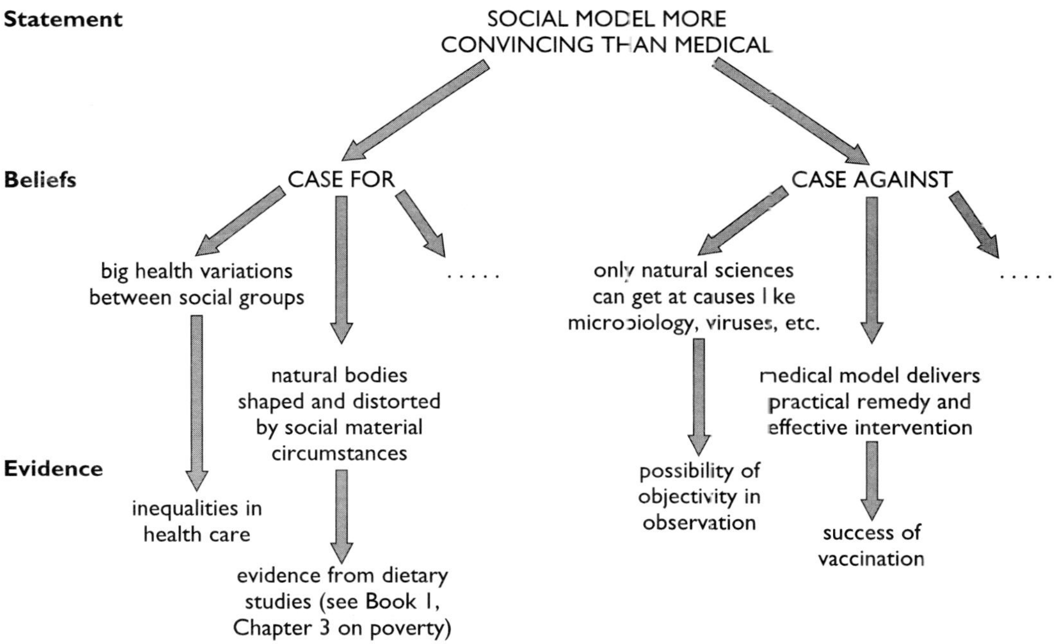

3 NATURE FOR SALE

Chapter 3 draws on two issues already raised but left underexplored in Chapter 2. First, if pollution and other kinds of environmental threats are becoming risk factors or determinants of human health, what caused them or created them in the first place? The role of economic forces in general, and of markets in particular, in creating environmental problems forms the core content of Chapter 3.

Second, Chapter 3 picks up on Chapter 2's use of models as a tool of investigation. But while the idea of a model in Chapter 2 referred to a simplified set of core interconnected assumptions that defined and bounded a particular way of thinking about the world, Chapter 3 uses models in a narrower but more focused social scientific sense. Not as just a simplified description of social life and belief systems, but as a practical explanatory tool. In short, Chapter 3 uses models as applied theories.

Chapter 3 begins by reviewing what we mean by an external nature or the natural environment and the role in general of economic forces and economic growth in creating environmental problems (Section 1). The section concludes by arguing that it is not economic growth *per se* that is the problem, but economic growth that has been generated by market mechanisms. Sections 2–4 explore a model of how markets operate, and Sections 5 and 6 use this model to explore the role of markets in creating environmental problems.

KEY TASKS

Chapter 3, 'Nature for Sale'.

- Exploring the relationship between economic growth, markets, and environmental problems.
- Understanding the construction and use of a social science *model* of markets.
- Exploring these arguments with special reference to the theme of *structure and agency*.
- Working on your writing skills: reflecting on your written work and making essay plans.

Now please read Chapter 3, 'Nature for Sale' and return to this point in the workbook. You should spend around two-thirds of your study time on the chapter and around one-third on this section of the workbook.

3.1 Getting orientated: markets, growth and the environment

Once again, how did you get on with Chapter 3? How would you describe or represent its line of argument? As you work through the activity below, take a look at your own notes and your summaries of your own notes.

WORKBOOK ACTIVITY 3.1

Skim through your notes on Section 1 of the chapter, what appears to be the heart of the section's argument?

COMMENT

Looking back over Section 1, we would suggest that the core issues revolve around the relationship between social forces/structures and the external natural environment, and how in particular this relationship leads to environmental problems, damage or degradation (these are all used synonymously).

In note form we might represent this argument as follows:

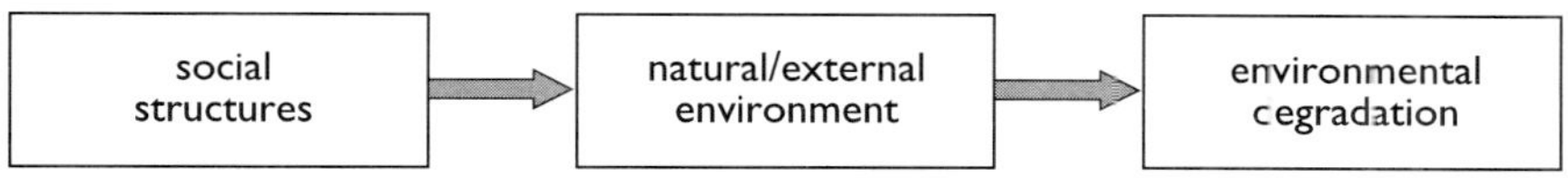

Now take a moment to think about the following questions.

- What social structures/forces does the section talk about?
- What kinds of environmental problems does the section mention?

Key forces

economic growth
economic markets.

Key environmental problems

exhaustion of resources – problems for future generations
air/water pollution – common resources
despoiled countryside.

So we could reorganize our notes like this:

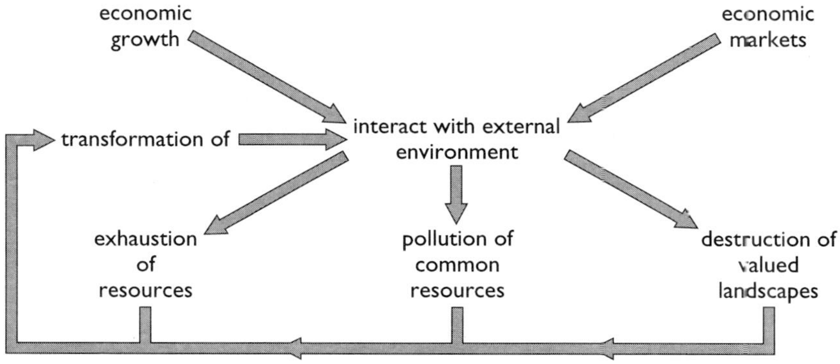

However, the section does suggest that the relationship between economic growth and environmental problems is not automatic, and that in any case no one intends to produce problems – they are *by-products* of economic activity.

Section 1 also argues that the way people and firms act within markets, including the creation of by-products, is in some sense determined by the structure of markets.

How would you represent these developments of the argument on our diagram?

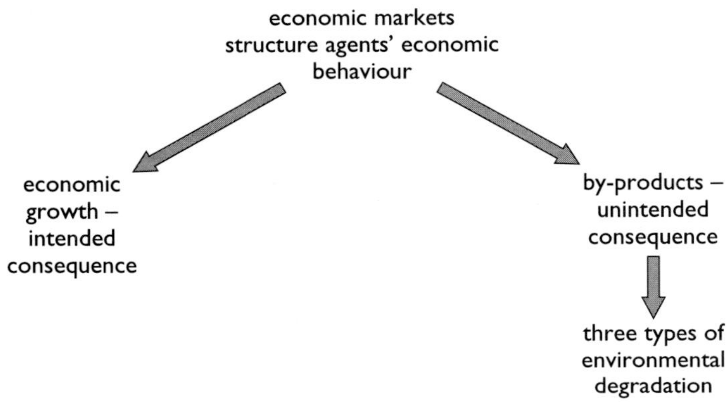

The question that remains open is: how can the structure of markets produce both intended and unintended outcomes, and is it possible to get the one (growth) without the other (environmental problems)?

To understand that we need to understand more about how markets work, how they structure the behaviour of individual agents (like consumers) or collective agents (like firms), and how and why they don't work.

As you will probably have recognized the rest of Chapter 3 addresses precisely these issues. Sections 2–4 create a *model* of markets. Beginning with a cluster of interrelated *concepts* and *definitions*, an applied and simplified *theory* of how markets work is developed. In Section 5 that model is put to work to generate *explanations* of the environmental problems identified in Section 1. On the basis of those arguments, Section 6 asks whether markets can be structured, regulated or altered to produce different and more desirable outcomes or at least to produce a better balance between intended effects (economic growth) and unintended effects (environmental problems).

We can represent this passage from questions to explanations and back to new questions as follows:

QUESTIONS	What causes environmental problems: growth or markets?	(Section 1)
↓ CONCEPTS	Define markets	(Section 2)
↓ THEORY/MODEL	Build theory/model of markets	(Sections 3, 4)
↓ EXPLANATIONS	Use model to explain environmental problems	(Section 5)
↓ QUESTIONS	Can markets be changed or regulated to produce less environmental problems? What problems might this unintentionally cause?	(Section 6)

In the next section we intend to work through the above diagram.

3.2 Concepts, theories and explanations: the market model

WORKBOOK ACTIVITY 3.2

Look back to your notes on Sections 2–4 of Chapter 3.

What are the key concepts used to define and describe markets?

COMMENT

Our initial list includes:

buyers	agents	firms	consumers
institutions	sellers	rules	commodities
money	exchange	prices	property rights

WORKBOOK ACTIVITY 3.3

Now, try arranging these concepts diagrammatically to create a clearer sense of what we mean by markets. Try a few different versions to see what works, just experiment. If you are not clear about the meaning of any of the key terms, now is the time to go back to the text, to a dictionary, etc. and check.

COMMENT

Our attempt to link the concepts looked like this:

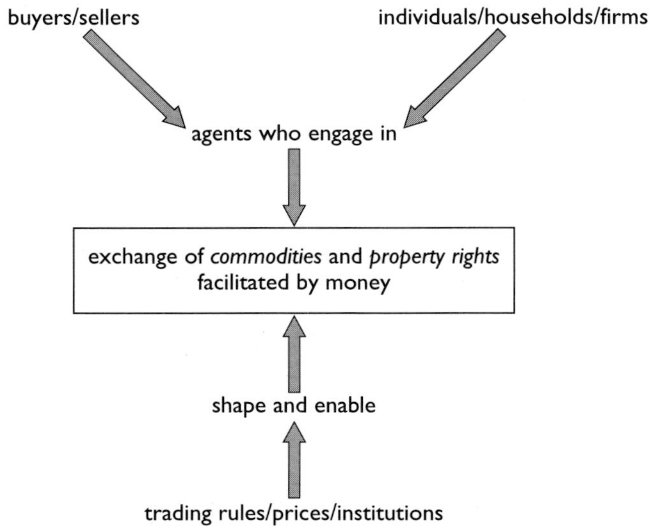

Putting this into short note form, we could argue:

1 Markets consist of multiple, regulated exchanges of commodities and thus of property rights, facilitated by money as the medium of exchange.

2 Collective and individual agents trade (as buyers or sellers) in response to their own economic needs and interests.

3 But when, where and how often they trade, and in what way, are not renegotiated and re-examined every time a trade is made. Preferences, behaviour and interaction are *structured* by:

- the price of goods or services
- rules of trading (like guarantees of fair advertising, etc.)
- social institutions which shape the context, location of trading and the distribution of information about prices and other aspects of trading; and which may regulate access to the market.

Can you see how this way of thinking about markets has *structure and agency* at its core and that the two are intimately linked together?

Just as it is important to think about the natural and the social as mixed and interactive, so structure and agency are best thought of as intertwined elements.

Now, given the model of markets developed in Section 2 of the chapter, can we get more specific about this interrelation?

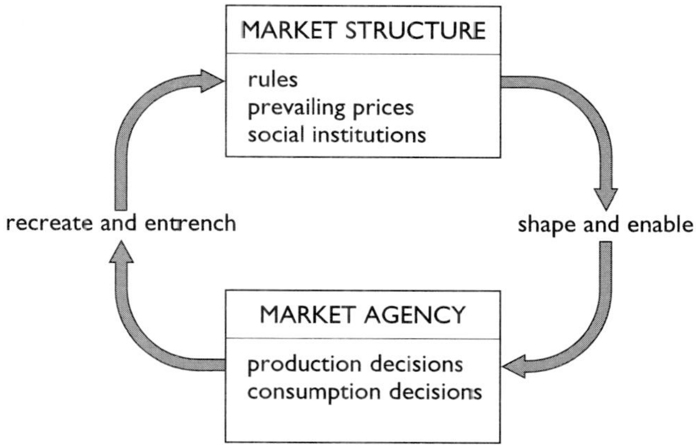

Have another look at Chapter 3, Section 4 on the lessons of the model for some ideas about doing this.

The role of competition seemed particularly important to us as a structuring device of markets. The impact of competition on agency had a series of important consequences for different groups of producers and consumers.

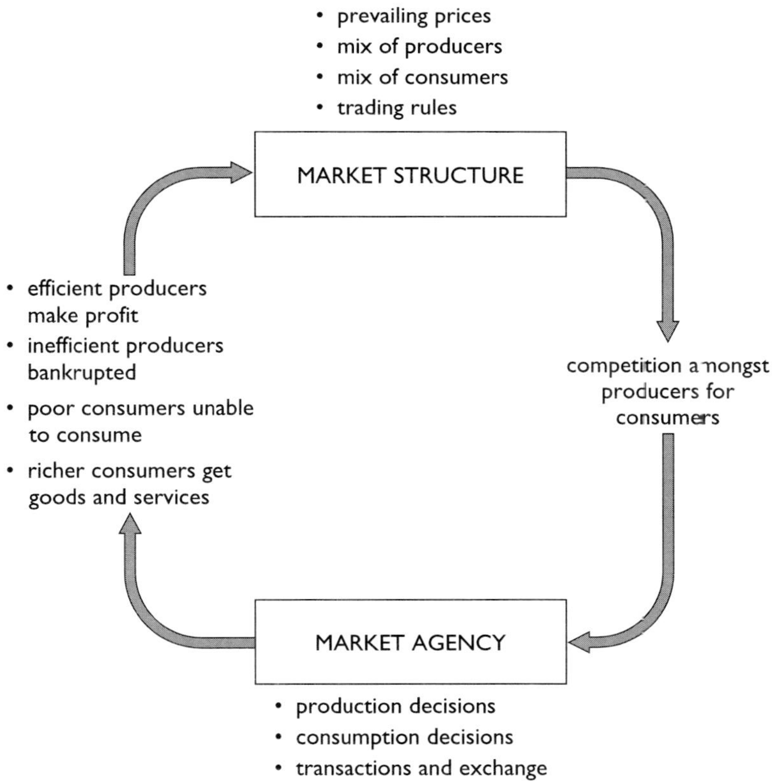

Now, what happens when this model of markets is applied to the problems of environmental degradation?

To explore this we need to be clear about the concepts of *private* and *social*, *costs* and *benefits* and the notion of *externalities*.

WORKBOOK ACTIVITY 3.4

Skim your notes on Chapter 3, Section 5.1 on private and social, costs and benefits, and externalities. How could we use these concepts in relation to the purchase of a car?

COMMENT

Let's think about one buyer, one seller and one car exchanged for £1,000. From the perspective of the consumer, costs and benefits look like this:

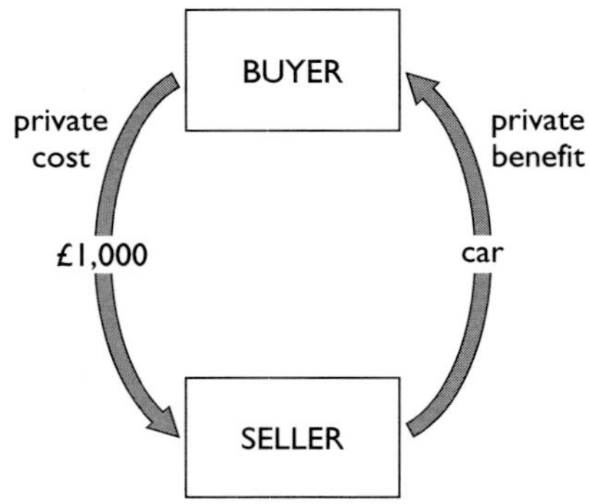

However, buying and using that car results in, for instance:

- the buyer getting to work more quickly and becoming more efficient as a consequence: a social benefit for the individual's employer and perhaps society as a whole
- a contribution to air pollution and traffic congestion, the effects of which impact on many other individuals and on the costs of ill health and the increasing cost of maintaining the road network: these are costs borne by the society as a whole.

So we could think about the transaction like this:

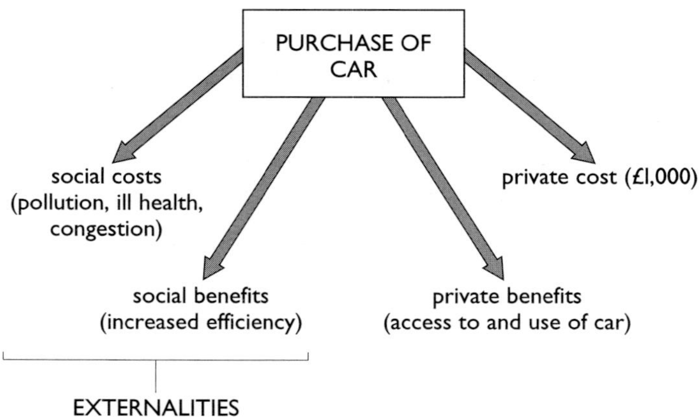

The question now becomes: why is it that so many environmental and social costs are external to the private calculation of costs and benefits?

WORKBOOK ACTIVITY 3.5

Skim your notes on Sections 5.1.1–5.1.3 of Chapter 3. How can we use the model above to explain the three types of environmental problem outlined?

Exhaustible resources

Public goods

Neglect of future generations

Make quick notes and compare them with ours below.

COMMENT

Exhaustible resources, e.g. fishing

1 Individuals do not pay the social costs of over-fishing until stocks are exhausted.

2 In the context of markets, any individual reduction in fishing and the *private costs* that incurs will not result in diminished *social costs* as other fishermen will tend to increase their catch.

3 Making fish stocks private property does not necessarily increase incentives to diminish or internalize social costs.

Public goods

1 Public goods are such that no one can be excluded from using them, e.g. the atmosphere.

2 Therefore, private ownership solutions do not work.

3 This situation requires that firms and individuals, through taxes, are forced to pay or internalize the social costs they would otherwise externalize.

Future generations

1 Social costs are also passed on to future generations who will have to live with the legacy of the contemporary depletion of environmental stocks and resources.

2 Future generations have no way, at present, of influencing who pays which costs. They have neither votes, nor spending power.

Thinking these arguments through in terms of structure and agency and with our earlier model we drew this:

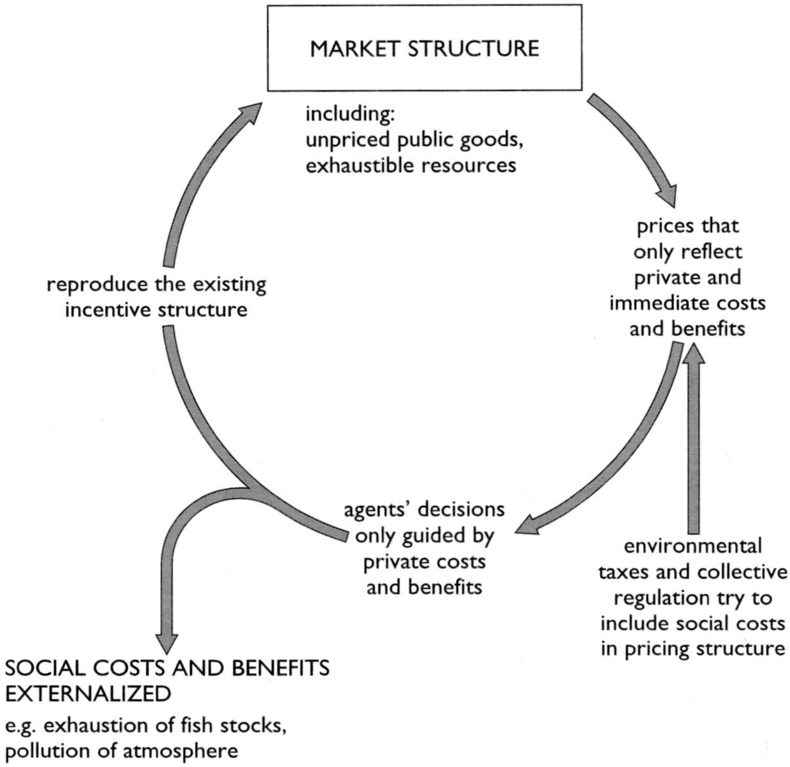

However, as Section 6 of the chapter makes clear, there are a range of problems associated with trying to regulate markets in this way:

- it can be difficult to value the environment and social costs and benefits in a meaningful way;
- imposing those costs by high taxes or regulations can have significant distributional effects; and
- imposing those costs may disrupt market equilibrium leading to transitional costs and problems as a new equilibrium is constructed.

3.3 Writing skills: reflecting on your TMAs

So far in this block our work on writing skills has focused on illuminating and interpreting social science evidence – the first half of TMA 02. Now we want to address some of the skills that will be involved in doing the second part of TMA 02, a longer more essay-like piece on Block 2. We'll be returning to this later in the workbook, in this section we want to consolidate some of the work you have already done.

The key work so far in this area was done in *Workbook 1* where we introduced you to some of the basic elements of:

- planning a piece of writing (*Workbook 1*, Section 1.3)
- constructing and defending an argument in writing (*Workbook 1*, Section 4.4).

Then in this workbook:

- structuring the middle of your essay (*Workbook 2*, Section 2.4).

The activities below are designed to reinforce these skills and begin applying them to Block 2.

WORKBOOK ACTIVITY 3.6

Frequently the most difficult part of writing is arranging your ideas into a coherent structure. So, structured written work is the focus of this reflective exercise. Every piece of written work needs to have a beginning, middle and an end. This may seem obvious, but it takes time to make sure that your written work does achieve this.

Look now at your answer to Part 2 of TMA 01 and go through it section by section following the guidelines below and answering the questions.

Beginning – introduction to your essay:

- *Did I make clear what I understand by the question?*
- *Did I outline how I was going to answer the question and why?*

Middle – this is where you answer the question through making a series of points which are supported by evidence:

- *What was the main point I tried to make in each paragraph?*
- *Did I make the point clearly?*
- *Are the points I made consistent with what I said I would do in the introduction?*
- *Is each main point supported by examples or evidence?*
- *Do the points flow in a clear and logical sequence?*

End – the conclusion:

- *Did I answer the question?*
- *Did I summarize my argument?*

Overall:

- *Are my sentences clear or are they long and rambling?*
- *Did I use my own words or did I simply repeat what was in the text?*
- *Did my paragraphs move smoothly from one to the next?*
- *Did I have a clear set of references?*

Now read the PT3 form and your tutor's notes. Pick out one comment in relation to the structure. Write this down and then, using your answers to the questions above, write down how you might attempt to overcome this difficulty in TMA 02. Keep this with you as you prepare your essay for TMA 02.

WORKBOOK ACTIVITY 3.7

On the basis of some reflection on your own writing style and its strengths and weaknesses, we would like you to have a go at making some essay plans – in response to a couple of questions that could be asked of the material in Chapter 3.

Have a look back to *Workbook 1*, Section 7.2 on some of the techniques available, and have a look at the Appendix in *Workbook 1* (p.71) on decoding questions.

Question 1

Is environmental degradation inevitable in a market economy? Discuss.

Question 2

Compare and contrast the role of market structures, market agents and market regulation in the creation of environmental problems. Illustrate your argument with examples.

Have a go at an essay plan for Question 1 now and look at the comment below, then have a go at an essay plan for Question 2 for yourself.

COMMENT

For Question 1 we have followed the procedure below – you may have done so too. In the end there is no one right way to do this, so take our model as a point of comparison.

1 Decode the question, identify process and substance words.

2 Brainstorm, skim notes.

3 Outline introduction.

4 Organize key substantive points. Note useful examples, evidence, and case studies.

5 Consider preliminary conclusion.

For Question 1 our plan looked like this:

1

Process:

Discuss

Substance:

Markets

- environmental problems
- inevitable?

2

Key ideas in Chapter 2:

growth or markets the problem?

invisible hand or elbow

Examples

- depletion of resources
- externalities
- air pollution

Public goods

Future generations

Neoclassical model

Market structures + market agency

Social + private, costs + benefits

Markets + power

distribution

equilibrium

3 INTRO

(i) Define environmental degradation – give examples

(ii) Causes of E.D. – growth yes + no

4 MIDDLE

So essay asks:

(a) what is market/basic model

(b) how market structures shape market agency that → env. problems

(c) focus on externalities argument

(d) give clear example fishing/cars air pollution

(e) inevitable?

Possible solutions:

- include interest of future generations
- regulation
- green taxes
- valuing/pricing environment
- private ownership of public goods
- social ownership of public goods

Explore pros + cons of each

5 CONCLUSION

- depends on balance of pros + cons
- if pros massively outweigh cons then maybe environmental problems not inevitable
- if cons outweigh pros then maybe it is inevitable?

4 LIVING WITH RISK: THE UNNATURAL GEOGRAPHY OF ENVIRONMENTAL CRISES

All three chapters in Book 2, so far, have alerted us to a number of arguments:

- that the conceptual and practical separation of the natural and the social is problematic
- that accounts of the natural are never innocent of social forces, models and factors
- that these two forces combined make for a diversity of opinion and uncertainty about the standing, weight and value of these often conflicting arguments.

Chapter 4 takes up all three of these threads in relation to the origins and consequences, geography and history of environmental threats and uncertainties.

Section 2 looks at the ways in which different types of environmental threat and risk are socially described and explained. It asks who benefits from certain meanings and arguments. Section 3 focuses on the BSE scare and explores the social origins and consequences of these conflicts and asks how public officials and private citizens try to cope and manage the uncertainties and risk calculations they face. The chapter concludes by asking whether these phenomena have significantly increased in social frequency and weight and whether we can, as a consequence, characterize our society as a *risk society*.

KEY TASKS

Chapter 4, 'Living with Risk: The Unnatural Geography of Environmental Crises'.

- To connect Chapter 4 to the debates and arguments around the definitions and meanings of the social and natural in Chapters 1–3: *learning to look back.*
- To explore the social construction of natural hazards and dangers.
- To explore the social origins of contemporary uncertainties around science, nature and safety.
- To evaluate the use and handling of *qualitative evidence.*

Now please read Chapter 4, 'Living with Risk: The Unnatural Geography of Environmental Crises' and return to this point in the workbook. You should spend around two-thirds of your time on Chapter 4 and the remainder with this section of the workbook.

4.1 Pulling it together: the arguments of Chapter 4 and the arguments of Book 2

We have tried throughout this workbook to make links across chapters and make links back to earlier material in the course. In this section of the workbook we will try and sort out both the internal structure of Chapter 4 and some of the links that can be made between its argument and the themes and issues raised in the rest of Book 2. In particular, we will connect the debates in all of the chapters to the issues raised in the Introduction to the book.

Let's start, though, with Chapter 4.

WORKBOOK ACTIVITY 4.1

Chapter 4 covers a lot of ground: risk societies, mad cows, hurricanes and natural crises. How does it all fit together? Have a go at diagrammatically sketching the structure of the chapter's argument and compare it with ours. As ever:

- skim the chapter contents
- skim the summaries
- note key words and links
- skim your own notes.

COMMENT

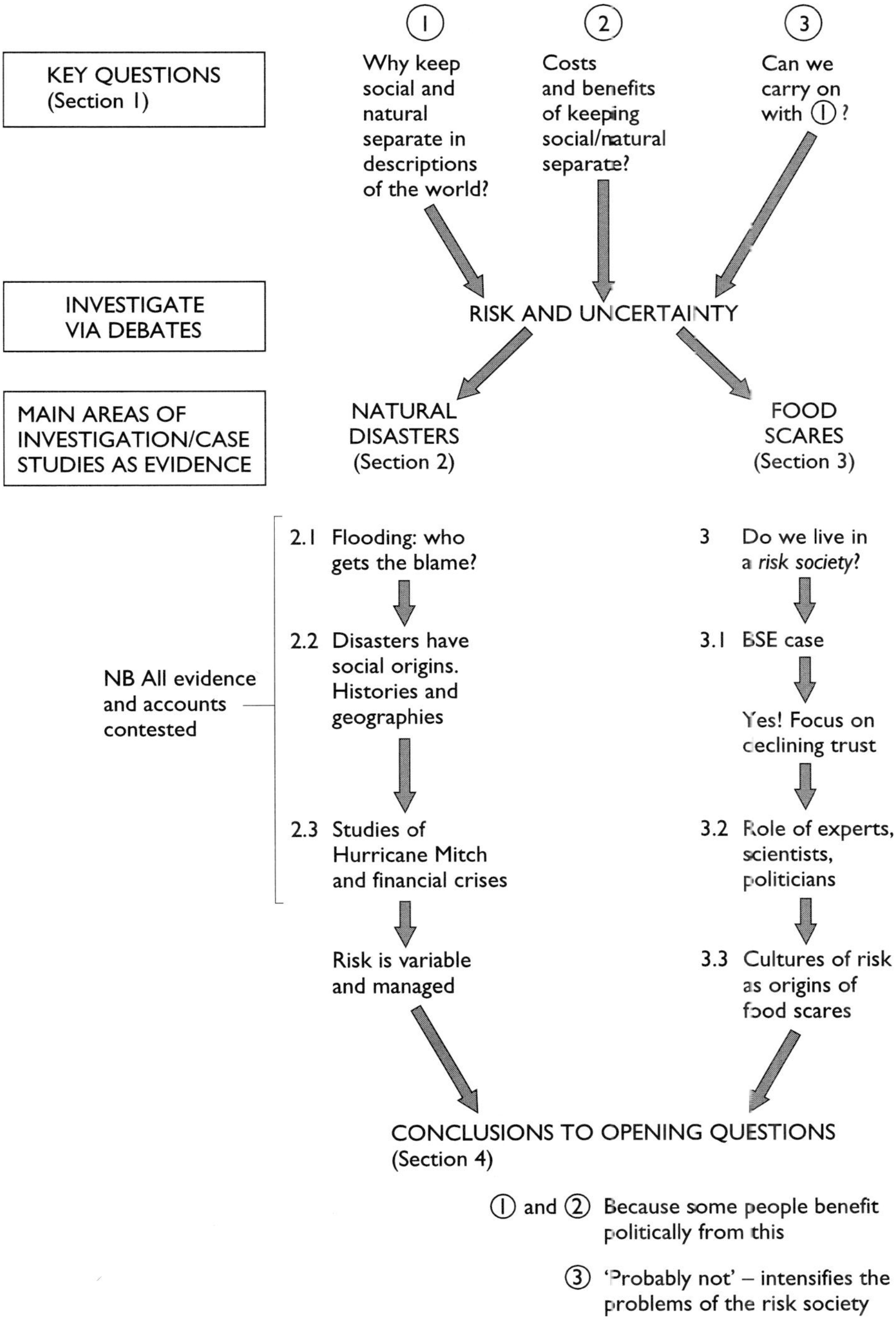
KEY QUESTIONS (Section 1)
1 Why keep social and natural separate in descriptions of the world?
2 Costs and benefits of keeping social/natural separate?
3 Can we carry on with 1?
INVESTIGATE VIA DEBATES
RISK AND UNCERTAINTY
MAIN AREAS OF INVESTIGATION/CASE STUDIES AS EVIDENCE
NATURAL DISASTERS (Section 2)
FOOD SCARES (Section 3)
NB All evidence and accounts contested
2.1 Flooding: who gets the blame?
2.2 Disasters have social origins. Histories and geographies
2.3 Studies of Hurricane Mitch and financial crises
Risk is variable and managed
3 Do we live in a *risk society*?
3.1 BSE case
Yes! Focus on declining trust
3.2 Role of experts, scientists, politicians
3.3 Cultures of risk as origins of food scares
CONCLUSIONS TO OPENING QUESTIONS (Section 4)
1 and 2 Because some people benefit politically from this
3 'Probably not' – intensifies the problems of the risk society

Your notes may well have looked different. As you will be aware there is a great deal of material in Chapter 4 and it touches questions and issues that have already been raised in Chapters 1–3. Before we unpack the details of Chapter 4's argument, what issues and ideas do you think link Chapter 4 to Chapters 1–3 of Book 2?

WORKBOOK ACTIVITY 4.2

Make short notes on links between Chapters 1, 2, 3 and Chapter 4.

There are a whole variety of issues that you might wish to focus on. Our immediate reaction to the key elements and contents of Chapter 4 suggest three areas that all the chapters dwell upon.

- Conceptualizing the natural and the social.
- Debates over the social origins and consequences of risk, uncertainty and diversity.
- Debates over the use and interpretation of evidence, mainly differences amongst social scientists, natural scientists and wider society.

COMMENT

Chapter 1

Natural and social:

difficulties of separating natural and social origins of intelligence.

Risk and uncertainty:

contemporary uncertainty over drawing the line between social and natural.

Debates over evidence:

note how evidence in IQ debate is contested.

Chapter 2

Natural and social:

describing the relationship between social and natural in models of health – contested.

Risk and uncertainty:

New Public Health draws on notions of risk – could be considered one response to the emergence of a risk society.

Debates over evidence:

multiple models of health handle evidence very differently – similar to conflicts over interpreting hazards, risks and scientific safety evidence.

Chapter 3

Natural and social:

markets provide explanatory framework for describing transformation of natural world/external environment.

Risk and uncertainty:

model of markets and instability help account for environmental/financial disasters.

Debates over evidence:

structures of bigger case studies illustrated by Chapter 3 and Chapter 4.

You will have the opportunity to work over these issues in more depth in Section 5 of this workbook. Before that, have a go at the following activities which help you to make both the structure of the argument of Chapter 4 clearer and the comments to earlier chapters more explicit.

WORKBOOK ACTIVITY 4.3

The notion of risk is, as the title of the chapter suggests, really at the core of Chapter 4. Let's focus on the material in Section 2 of Chapter 4.

Make short notes or flow diagrams on the following:

1 Links between the ways in which the Environment Agency and social scientists describe and account for natural hazards and disasters.

2 Links between how we use social scientific issues of hazards to explain the different accounts of Hurricane Mitch and financial crises.

It might be useful to think about these issues as two sets of tabular notes. Try them out if you are not already using this note-taking technique.

1

	Environment Agency	Social scientists
Account of natural hazards		

2

Key social science issues	Account of Hurricane Mitch	Account of financial crises
History		
Geography		
Vulnerability		
Risk management		

COMMENT

Our notes looked like this.

1 Account of natural hazards

Environment Agency	Social scientists
social and natural separate and purified	social and natural mixed
singular dominant cause	multiple, in-eracting causes
social order/social disorder	disorder always present
no account of politics of risk management	recognition of complex politics of risk management and containment

2

Key social science issues	Account of Hurricane Mitch	Account of financial crises
History	Long history of Western-controlled banana plantations in Central America, entrenched debt and poverty in Central America	Recent spread of speculative capital from West to developing country financial markets
Geography	Core-periphery economic relationship: hurricane focused on Central America, consequences of crisis remain in Central America	Core-periphery relationship: crisis spreads from periphery to core
Vulnerability	Brunt of risk and danger borne by poor in Central America. Western consumers and countries insulated	Init al developing market economics spreading to core of Western financial system
Risk management	Use of insurance and alternative supply routes	Massive central bank and government intervention to stabilize markets

One way of exploring the core claims of the arguments of Chapter 4 and connecting them to earlier chapters would be as follows.

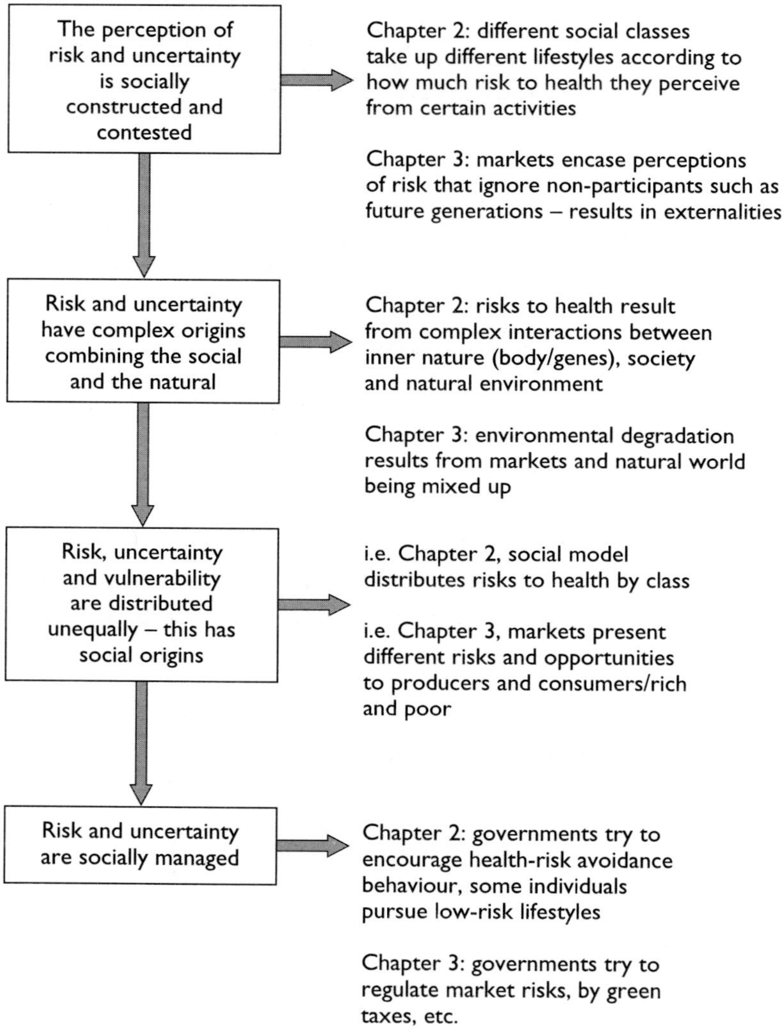

Section 3 of Chapter 4 picks up on all of these threads about risk and uncertainty. But it does so at a higher level of generality by introducing the concept of the *risk society* which places these debates about risk right at the heart of the social sciences and its descriptions of modern society. The BSE case study in Section 3 is used to expand the account of the risk society and allows Steve Hinchliffe to (a) return to his initial set of questions about the relationship between the social and the natural; (b) focus on the role of experts in general and science and scientists in particular in shaping the perception of risk; and (c) consider the handling of evidence by scientists, social scientists and the public. In the next section of the workbock we will be working through these issues in more depth.

4.2 BSE and the risk society, constructing an argument, handling case studies

In this section we will be working through Section 3 of Chapter 4 with the intention of both understanding its contents and examining how its argument has been constructed. We will also examine what kinds of evidence have been brought to bear on explanations generated by that argument.

WORKBOOK ACTIVITY 4.4

The idea of a *risk society* starts from the premise of social change. Of course, all societies have faced hazards and changes in the past, and all societies have developed individual and collective responses to those hazards; but something has changed, some shift or shifts have occurred which make contemporary forms of risk perception and management different.

Skim through Section 3 and try filling in the grid below – base your responses on the social scientific account of risk we developed in the previous section of this workbook.

	Before the risk society	Risk society
Social origins of risk		
Social perception of risk		

continued over

	Before the risk society	Risk society
Social distribution of risk		
Social management of risk		

C O M M E N T

Our grid looked like this.

	Before the risk society	Risk society
Social origins of risk	Risks – from separate social and natural causes	Intermixing of the social and natural, e.g. food scares/climate change
Social perception of risk	Public awareness low	Public awareness high
Social distribution of risk	Risk concentrated on poor and marginal	Risks become universal
Social management of risk	Low dependency on institutions, but trust high	High dependency on institutions, but trust low

Steve Hinchliffe's use of the BSE crisis to illustrate the broader risk society thesis is an example of a particular use of *evidence* in the social sciences – a *case study*. What is a case study? – how does it differ from other types of evidence you have already encountered in DD100?

4.2.1 Case studies

Defining what a case study is has been raised to a high and arcane art in the social sciences. For our purposes, case studies can be understood as a specific and bounded event or set of events which possess a coherent internal structure or narrative and can be used as a piece of evidence in relation to a specific social science claim. In short, what constitutes a case study will depend on what questions you are asking and what claims you are making.

If the question is:

> Why are some countries more dependent on car transport than others?

and, after some reflection, your claim on the issue is:

> Car dependence is explained by a number of factors. The most important are size of the country, level of economic development and the power of the car industry.

Then the choice of case studies of nations, their level of car dependency and the complex processes (economic, political and cultural) by which that came about, will be shaped by the following factors:

1. Transport policy is made to a great extent by national governments. So our basic unit of study needs to be nations, not regions, or localities.
2. We need to find cases which have different levels of car dependency – high and low, to see if there are really systematic differences between them.

   Therefore:

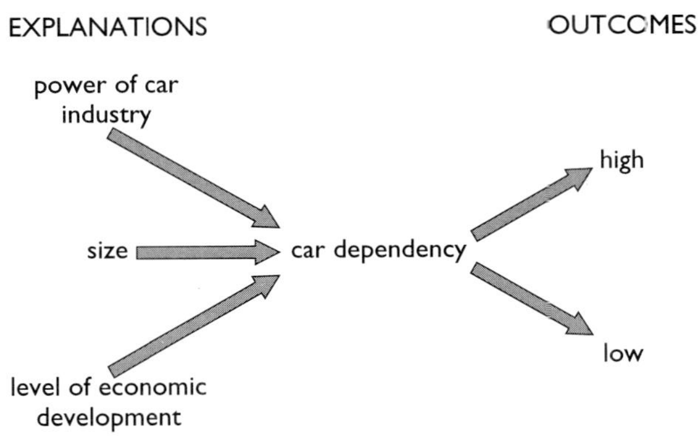

Two options would be the USA, which has high car dependency, and the Netherlands, which has low car dependency. Broadly speaking, these cases would both probably confirm the claims as:

	USA	Netherlands
Power of car industry	High	Low
Size	Large	Small
Level of development	High	Low
Car dependency	High	Low

3 However, we might want to:

(a) Look for some case studies that disprove or contradict the claims, for example:

- a country with high car dependency which is small with a politically weak car industry;
- a country with a low level of economic development with high car dependency.

(b) We would also want to go into a lot more detail. It is one thing to say that small countries like the Netherlands appear less car dependent than equivalent large nations – we need to get right into the details of transport policy and consumer transport choices to actually demonstrate whether size was a real factor in shaping outcomes. Similarly, we want to reconstruct the details of transport policy making in the USA to demonstrate that a politically powerful car industry really did shape political decisions. So the importance of case studies as a form of *evidence* in the social sciences is considerable.

SUMMARY

- Case studies are shaped by the kinds of questions asked and claims made.
- Case studies are a bounded set of events or processes, for example: bounded issue (transport policy), time (transport policy since 1945), and geography (transport policy since 1945 in the USA).
- The internal structure and narrative of case studies provides an opportunity to test explanatory claims.
- Case studies can be used to both confirm and refute claims.

In Chapter 4, BSE is the key case study used by Steve Hinchliffe to explore the claims of the *risk society*. Broadly speaking the BSE case seems to confirm most of the claims of the risk society thesis, and you will have the opportunity to explore it in more depth in Block 5 of DD100. However, it's not clear that the case is sealed. Does it apply to all Western countries, to all countries irrespective of the level of development? It might make sense to look at the beef industry and food scares in, say, France or Sweden, or Argentina. It might make sense to look at other areas or types of risk, to see if the same claims about risk perception and expert knowledge can be sustained, for example nuclear power or global climate change.

Steve Hinchliffe uses the response to Hurricane Mitch and the global financial crisis as case studies to explore a series of claims about the social construction of risk and hazard.

If you have time, think about the following:

- What claims are being tested in Section 2 of the chapter?
- Do the two cases confirm or refute those claims?
- What other cases might be useful supplements?

4.3 Handling qualitative evidence

You have already worked with a variety of forms of qualitative evidence in DD100, such as autobiographical writing and indeed case studies such as the BSE crisis. Finding, using and evaluating qualitative evidence draws on the same repertoire of issues we have already raised in this workbook in connection with quantitative evidence, see Section 2.2 on health statistics, for example. But, not surprisingly, qualitative evidence has its own particular strengths and weaknesses. As a final set of exercises we will review the use of qualitative evidence in Chapter 4.

WORKBOOK ACTIVITY 4.5

Look back to your notes on Section 3.2 of Chapter 4 where Steve Hinchliffe uses a series of readings – quotations from scientists and ministers on the BSE crisis. He uses these pieces of evidence to explore one claim of the *risk society* argument: that in a risk society we increasingly turn to experts on matters of safety and risk assessment and that our trust in those experts is declining and uncertain. The question here is not whether the claims are confirmed or refuted by the evidence, it is to do with the quality of the evidence. Can it be trusted?

Note down your thoughts on the following:

1 Where has the evidence come from?

2 How has it been handled and used?

3 Is the evidence sufficient to decisively make a case one way or another?

4 What other evidence might usefully supplement it?

COMMENT

1 The evidence comes from two sources: note the source citation that accompanies each reading.

- The Meldrum and Gummer quotes come from newspaper reports.
- The Lacey quote comes from an official publication.

2 The evidence has been handled and used in a number of ways.

- First, the pieces are very short extracts and they have probably already been edited by the newspaper and then again by the author of the chapter.
- Second, the *meaning* of the texts has been carefully analysed. Steve Hinchliffe has focused very closely on what each person has to say, and what they mean on a series of issues:

  – The significance of risks.

  – The degree to which the claims and arguments of each reading is embedded in a particular understanding of science and scientific knowledge.

  – Those meanings have then been organized around similarities and differences.

3 In the end such small qualitative fragments cannot be conclusive either way – though they do clearly illustrate the degree to which political and scientific elites disagree about risk and generate uncertainty amongst the general public.

4 This qualitative evidence is embedded in more evidence, narrative, etc. which make up the BSE case study as a whole. But to really press the risk society claims to which the readings speak a whole lot of evidence would be needed. This might include:

- larger and more varied extracts on risk perception by a wider range of participants; and
- qualitative and quantitative evidence of public attitudes to risk and to experts – perhaps questionnaires and surveys, in depth interviews with beef consumers, and comparisons with past food crises.

So a few key points for dealing with qualitative evidence would be:

1 Establish the origins, context and authenticity of a document, report, etc.

2 Be clear about what meanings you intend to explore and extract from the evidence.

3 Be clear about how representative or unrepresentative the evidence is of the opinion, beliefs, and meanings you are interested in.

4 Ask yourself the extent to which those meanings are shaped by the social position and interests of the writer or speaker.

5 Think about what other qualitative and quantitative evidence might supplement it.

5 REFLECTION AND CONSOLIDATION

You have covered a great deal of ground in Block 2 so far. Block 1 was very clearly organized around issues of identity and the connections between the chapters were, we hope, relatively clear. Book 2, while being united around debates over the conceptualization and interaction of the social and the natural, has opened up a much wider range of issues – intelligence and human nature, health and illness, environmental risks, markets. It has also introduced you to a whole series of debates about the course themes of *uncertainty and diversity* and *structure and agency*, and spent a good deal of time thinking about how to handle *evidence*.

The Afterword to Book 2 and Audio-cassette 4, Side B are designed to help you bring some of these strands together. TV 02 provides an opportunity to apply some of the ideas we have looked at in this block to the experience of disability in the post-war UK. Above all, it is designed to help us reflect on issues of social *diversity* in the contemporary UK, providing some balance to the focus on risk and *uncertainty* in the later half of Book 2.

So try and use the materials actively – they are an opportunity to pull together some of your work and provide some tentative answers to the issues raised in the Introduction to Book 2. One way of doing this would be to keep a version of the grid over the page to hand. You needn't do more than jot down a few words per box as you work through these materials.

Now please read the Afterword to Book 2.

Then listen to Audio-cassette 4, Side B and read the associated notes; also watch TV 02: *The Unusual Suspects: Thinking Through Disability*, and read the associated notes.

Then return to this point in the workbook.

	Afterword	Audio-cassette 4, Side B	TV 02
How should we think about the relationship between the social and the natural?			
Is there increasing uncertainty and diversity of opinion about this relationship?			
How does the social shape the natural, and vice versa?			
Does individual agency shape the social and the natural? How?			

6 STUDY SKILLS: STRENGTHS AND WEAKNESSES, COPING WITH STUDY PROBLEMS

Do you recall Section 1.4 of this workbook? We suggested that you keep very brief notes on your pattern and experience of study (p.28). Whether you kept notes or not we would like you to stop and reflect on those issues – your strengths and weaknesses – before suggesting a few ideas for getting round some of the problems you may be encountering. Don't forget to use your tutor, tutorials, telephone and mail communication to other students as sources of support and advice.

6.1 Strengths and weaknesses

Looking back over your work on Block 2, have you had any problems with the following? If you feel there are problems, can you pin them down? Can you weigh them in importance?

- Do I have enough time to study?
- Do I have a pattern of study that suits my domestic/work commitments?
- Do I have a pattern of study that suits my lifestyle?
- Are there particular skills that I am having trouble with:
  notes that are always too long
  numbers that don't make any sense, etc.
- Are there parts of the course that have been significantly more difficult to understand than others?

If the answer to all these questions is everything is going fine, then please press on. If not, have a quick read through some of our suggestions below, and talk to your tutor about these issues. They won't go away of their own accord. Being an independent learner requires taking action yourself.

6.1.1 Not enough time, wrong time

- Are you using the time you do have most effectively?
- Do you plan your work for each session, set targets, outline tasks? If not, try doing so.
- Are you sharper in the mornings rather than the evenings? If so, do you work in the mornings?
- Are you trying to do all your work in long (too long) sessions?

- Do you find yourself running out of steam or direction?
- Have you tried working for shorter periods, more often?

In the end most time issues for OU students come down to the enormous complexity and difficulty of negotiating time away from domestic and work commitments. Everyone's situation is different and we can't advise you how to deal with the particularities of your boss or your family, etc. All we can say is do try and talk to them. Do try and get clear in your own mind first what your needs are, and best of luck!

6.1.2 Problems with skills

Again, half the battle here is with identifying what you think the problems are. Your tutor's comments on your TMAs may help you reflect on this. Whatever the problems are, talk to you tutor and discuss ways with him or her of tackling them. These might include:

- Going back to earlier workbook activities and doing them again.
- Practising skills in tutorials.
- Asking your tutor for specific advice and examples.

6.1.3 Problems with content

These come in all shapes and sizes and we don't intend to cover all the possibilities. Rather we want to suggest a few ideas for what to do when you are *stuck*. A passage, a term, a whole section just doesn't make sense, or the connections between chapters and themes isn't clear, etc. The options include:

- Take a break, get up, walk away, do something else and come back five minutes later.
- Make a decision – do you need to deal with this problem now? Is it central to your work or could you leave it and come back later?
- Go over key terms and concepts again – re-read definitions, check the dictionary. Is the problem here, or elsewhere?
- Read and re-read key passages more slowly. Identify exactly where the problem is. Make a note to contact your tutor, ask your tutor about it at your next tutorial.
- Call someone in your self-help group – they are probably struggling with the same problem.
- Try taking notes in a different way – if you were taking short notes, try a diagram, and vice versa.

In the end, perspiration is the basis of inspiration – keep at it!

7 ASSESSING BLOCK 2

TMA 02 comes in two parts.

- PART 1: This is worth a third of the marks for TMA 02 and it is designed to assess the progress you have been making in interpreting and handling evidence. We will present you with one or more pieces of evidence on issues closely connected to the contents of Block 2 and we will ask you to discuss the origins, quality and usefulness of the evidence as well as asking you to use that evidence to support, refute or investigate a more specific set of social science arguments.
- PART 2: This is worth two-thirds of the marks for TMA 02 and will be in the form of a more conventional essay question. You will be limited to 1,000 words on this part of the TMA and we will be assessing both your understanding of the contents of Block 2 and the progress you have been making in developing your writing skills.

What follows is a checklist of things you should take a look at before starting TMA 02.

7.1 Using evidence: a recap

The use and handling of evidence has been a prominent theme in this workbook. The key work you have done on this has been:

Workbook section	Issues
1.3	Using evidence in the social sciences
2.2	Using evidence: comparing social science and natural science
4.2.1	Using case studies
4.3	Handling qualitative evidence

Key issues for you to consider when approaching TMA 02, Part 1 include:

- What kind of evidence are you being presented with?
- What methods have been used to select subjects and obtain evidence? What consequences do those methods have for the meaning and reliability of that evidence?
- How has the evidence been organized and re-presented?
- What doesn't the evidence say?
- To what questions and claims does the evidence speak?

- In what way can you use the evidence:
  (a) to support a claim?
  (b) to refute a claim?
  (c) to ask new questions?
- Within what broader context do the questions/claims and evidence come from: the social sciences, the natural sciences, or elsewhere? What difference might this make?
- What problems, biases, limits does the evidence have?
- What other kinds of evidence would successfully supplement it? How?

7.2 Writing essays: a recap

In the Introductory Block and Block 1 you:

- looked at the basic structure of a social science essay (*Workbook 1*, Sections 1.3, 7.1 and 7.2)
- looked at how to reference a piece of writing (*Introductory Workbook*, Section 8.4)
- practised writing short pieces (*Workbook 1*, Workbook Activity 1.5)
- looked at writing introductions and conclusions (*Workbook 1*, Section 4.4).

In Block 2 (this workbook) you:

- practised structuring the middle section of an essay (Sections 2.4 and 3.3)
- practised writing essay plans (Workbook Activities 2.13 and 3.7)
- looked back at the written work you have done and examined your tutor's comments (Workbook Activity 3.6).

In the end how to write and what to write are individual choices and there is no one right or wrong way to do it.

What follows is an additional series of useful principles that you should bear in mind as you write TMA 02.

In particular, you need to think about:

- How to use evidence and support your argument (Section 7.3).
- How to communicate your argument to your reader (Section 7.4).

7.3 Supporting your argument and using evidence

Increasingly on DD100 you will be asked to construct an argument from a range of different sources. You might need to bring together different kinds of material from different chapters, maps, statistical data, television and radio programmes or audio-cassettes, other electronic media and, where appropriate, your own experience. You will then need to reorganize this material in a way that answers the question. You will also need to select from the range of sources the appropriate evidence which supports your argument. (The following advice is adapted from Redman *et al.*, 1998.)

7.3.1 Selecting evidence – using a range of examples

Any essay question will expect you to support your arguments with appropriate examples and evidence. However, as you progress through DD100, you will be expected to show increased skill at selecting the examples which illustrate and support your points most effectively. As a general rule:

- *Include examples which have the most significant or far-reaching implications.*

  The examples will need to be relevant to the question and engage with the point you are making. This means being selective. You cannot site every single related example or piece of evidence in the course. Some of them will be more useful to your purpose than others, and you will need to identify these and relate them to the issue under discussion.

- *Where possible, support your argument with more than one example.*

  Unless the point is a minor one, single examples should be avoided (unless you are clearly directed to use them) since they are unlikely to cover the range of issues that you will need to highlight.

- *Select examples from a range of sources.*

  Particularly towards the end of DD100 you will need to look for relevant examples from across the course. As suggested above, you might need to draw material from many different course components. In looking for other material you may also want to look for more topical illustrations.

- *Work from the general to the particular.*

  Specific examples should be used to support general arguments. Whereas a general argument cannot necessarily be induced from only one or two actual examples, one or two examples can be used to illustrate the truth of a general argument on the grounds that there are many more examples of the same point but it is not possible to cite them all in your essay.

7.3.2 Selecting evidence – using empirical evidence

Social scientists carry out research studies to gather evidence to back up their theories and arguments. Evidence from such research is called *empirical evidence* (meaning information collected through our senses) and, as we know, because it comes from systematic, checkable investigation it is more highly regarded than everyday examples or personal experience. Course materials contain many examples of research studies, and a good essay will use empirical evidence to support the arguments made. This involves not simply describing a piece of research carried out into the topic you are discussing but to make clear how the results of the research supports or illustrates your arguments.

7.3.3 Selecting evidence – using maps, diagrams, numerical data

Maps, diagrams or numerical data are further major sources of evidence you can use to illustrate and support your argument. Although the use of numerical data may not always be explicitly called for, you will always gain extra marks for judicial use of such data where relevant. Maps, diagrams and numerical data, rather like quotations, should be used to illustrate and support points in your argument and not to replace it, so always remember to integrate them into the points you are making.

If you reproduce maps, diagrams or numerical data you will need to give your sources for them. However, it is often sufficient to refer to them, for example, by saying 'As the data used by Woodward (2000, p.15, Table 1) show ...', and providing a full reference at the end of your essay. In addition, remember that maps, tables and graphs are not hard facts. You will need to be critical of your sources by, for example, bearing in mind what scale is being used and how this shapes the evidence, by questioning how data have been collected, or by asking how a graph would change if plotted over a wider time scale.

7.3.4 Being 'self-reflective'

This means being aware of your own prejudices and letting your reader know about them. This is important because at some point choosing between competing arguments always involves making a value judgement. While it may be possible to identify clear reasons why some arguments are more persuasive than others, your choice will almost inevitably be coloured by your political, moral and philosophical values. It is therefore important to make explicit any theoretical/political orientation that underpins your essay, rather than pretending your argument is simply 'objective'. You might alert your reader to possible bias or areas of partiality in your argument, and this will allow your reader to make up her or his own mind about the strengths of your case. In fact, by signalling your possible blind spots, you are being more objective than if you pretended such blind spots didn't exist.

SUMMARY

- As you progress through DD100 you will increasingly be required to select relevant material from a range of sources and relate this back to an individual essay question.
- Arguments should be supported with appropriate illustrations and evidence. Try to select a range of the most significant examples: some are richer and more far-reaching than others. Examples should relate back to the essay question and engage with the argument you are making.
- For some questions you will need to use maps, diagrams or numerical data. These should be used as evidence to support your argument but, remember, they are not 'hard facts'.

7.4 Communicating your argument to your reader

You may feel happy that you have grasped the essay question and are able to answer it comprehensively and logically. However, to prove this you will need to be able to convey your ideas, to communicate them to your reader.

7.4.1 Thinking about the audience

Students often ask who their reader is meant to be. One way to think about this on DD100 is to assume that your reader is someone studying social sciences at the same level as you but at another university. You can assume that your reader will have a grasp of basic social science ideas but won't necessarily be studying the same things as you are, therefore you will need to explain more complex ideas and be careful to define your terms.

7.4.2 Clear sentences and paragraphs

The general rule in essay writing is to keep your sentences simple and easily understood. However, like other academic fields, the social sciences tend to have formal written styles and specialized vocabularies. The social sciences' vocabulary can't be dismissed simply as 'jargon' (although sometimes this might be a justified criticism). Academic disciplines need a complex language to be able to deal with complex issues. Unfortunately, this may cause you problems. There is a real danger that in trying to sound 'academic' you may simply sound confused. Our advice is, if you're unsure, keep things simple. Even when you feel more confident you need to remember that there is nothing to be gained from using complex language for its own sake. The real test lies in being able to communicate complex ideas in the form that is most easily understood.

Equally, your paragraphs need to be as clear and straightforward as possible. Paragraphs should have:

- a topic,
- a series of statements that explain what you think is special or relevant about the topic, and
- a main idea.

Thus each paragraph should address one key point or one aspect of a key point. A 1,500 word essay is likely to have five or six key points as well as an introduction and a conclusion.

7.4.3 Giving the essay direction

If your reader is to avoid getting lost in your argument you need to tell them what is happening at key points along the way. There are three effective ways to do this:

- introduce and summarize the main sections
- recap and signpost your argument
- where useful, refer back to the question.

Introducing and summarizing main sections

To illustrate these points here is an example from Chapter 4 of Book 2. In Section 2.1 Steve Hinchliffe has explored 'who or what gets the blame for natural hazards?' and focused on the word 'natural'. In Section 2.2 he is going to look at 'who benefits from conventional explanations of natural hazards?' The transition at the start of Section 2.2 (p.127) is handled as follows:

> The previous subsection established that natural hazards were not simply natural. This statement is underlined as soon as we look to see who and what tend to suffer most after so-called natural disasters. By far the greatest number of deaths associated with natural disasters occurs in those parts of the world where there are profound levels of poverty. This may come as no surprise. Disasters have uneven impacts partly because some locations are more vulnerable than others. Even in the same region, town or village, there are differences in terms of vulnerability and impacts.

If we break down this passage we can see that Hinchliffe is doing the following:

- He first reiterates the key point from his previous discussion ('... natural hazards were not simply natural'), thus underscoring and concluding the argument in this section.
- He next creates a bridge between the previous section and his new point ('This statement is underlined as soon as we look to see who and what tend to suffer most after so-called natural disasters').
- Finally, he introduces the theme of his new section ('Disasters have uneven impacts ...').

Recapping and signposting

Throughout Chapter 4 Steve Hinchliffe recaps and signposts his argument. For instance, in Section 2.2 (p.127) he writes:

> The point that natural hazards affect those who are most vulnerable is central to the case that hazards are socially as well as naturally produced. In this section, we will be exploring why it is that explanations of events that rely solely upon nature as the cause can benefit some groups, and can work to the disadvantage of others. In addition, I will argue that in order to provide alternative explanations of natural hazards we need to look beyond the event itself. We can think about looking beyond a specific event in two, related ways ..

At the end of Section 2.2 (p.128) he writes:

> We can now explore how it is that natural explanations of natural hazards are beneficial to some people and organizations and detrimental to others. Doing so will highlight the uneven distribution of risks and how it is that vulnerability is produced historically and geographically. We shall compare two risk events that occurred within a month of one another.

And at the end of Section 2 (p.133):

> Our task so far has been to look at the ways in which natural hazards are explained, and this has suggested some of the ways in which our explanations can contribute to the uneven characteristics of risk. Arguments have also been made about the ways in which social science works. By refusing to accept simple explanations, especially those that load causal responsibility on to 'nature', we have started to produce different takes on the world. ...
>
> Our task is now to look at risks and risk taking in some more detail.

Particularly in longer pieces of work, recapping and signposting provides your reader with a strong sense of the argument's direction.

Referring back to the question

This is the final strategy you can use to stop your reader getting lost in the argument. However, it is important not to be too laborious about this. For example, constantly repeating the essay title in full can sometimes sound clumsy. You don't necessarily want your essay peppered with phrases like 'In answering the question "Can we carry on for much longer thinking that society and nature are essentially amenable to separation?" it is thus necessary to ...' . You can often reference the question more simply by picking out and reusing a key phrase. For instance, at the start of Section 3 (p.136), Steve Hinchliffe links the introduction to the section back to the chapter title, 'Living with risk'.

> The workers in Honduras, the plantation owners, the large produce corporations, the fund managers, the banks, governments, mortgage holders and pension contributors, despite all their differences, shared a common characteristic. They

> all lived with risk. For some social scientists, living with risk has become one of the defining characteristics of our modern, or what some call late modern, times.

Phrases like this will pull your reader's attention back to the subject of your essay.

7.4.4 Making your essay 'flow'

Link words and sentences are used to make an essay 'flow', that is, they make the writing easy to read. Let's take another look at the example from Section 2.2 (p.127) of Chapter 4. If we took out all the link words and phrases, the extract would read something like this:

> Natural hazards affect those who are most vulnerable is central to the case that hazards are socially as well as naturally produced. Explanations of events that rely solely upon nature as the cause can benefit some groups, and can work to the disadvantage of others. To provide alternative explanations of natural hazards we need to look beyond the event itself.

Without the link words and phrases the extract reads like a list of points, or something written in note form, and we are jolted from one issue to another. In making sure you use link words, sentences and paragraphs, you thus ensure that your reader's attention sticks to the argument and doesn't get distracted by your writing.

SUMMARY

- On DD100 your notional reader is someone studying social sciences at an equivalent level in another university. They will understand basic social science concepts but won't necessarily be familiar with the area addressed in your essay.
- The point of essay writing is to convey complex ideas in as clear a form as possible.
- Paragraphs contain a topic and a series of statements explaining what is relevant about this topic. Together these make up the paragraph's 'main idea'. Each paragraph should address one key point or one aspect of a key point. A 1,500 word essay is likely to have five or six key points plus an introduction and a conclusion.
- You can give your essay a strong sense of direction by: introducing and summarizing main sections; recapping and signposting your argument; and, where useful, referring back to the question.
- Using link words and sentences ensures that your essay 'flows' smoothly.

You can now get started on TMA 02. Good luck.

Please turn to *Assignment Booklet 2* for TMA 02.

REFERENCES

Black, D., Morris, J.N., Smith, C. and Townsend, P. (1992) 'The Black Report' in *Inequalities in Health*, Harmondsworth, Penguin.

Hall, R.H. (1990) *Health and the Global Environment*, Cambridge, Polity.

McMichael, A.J. (1993) *Planetary Overload: Global Environmental Change and the Health of the Human Species*, Cambridge, Cambridge University Press.

Redman, P. *et al.* (1998) *Good Essay Writing: A Social Sciences Guide*, Milton Keynes, The Open University.

Watts, G. (1992) *Pleasing the Patient*, London, Faber and Faber.

Whitehead, M. (1992) 'The health divide' in *Inequalities in Health*, Harmondsworth, Penguin.

ACKNOWLEDGEMENTS

Grateful acknowledgement is made to the following sources for permission to reproduce material in this workbook.

Text

Watts, G. (1992) *Pleasing the Patient*, Faber and Faber Ltd. Reproduced by permission of Faber and Faber Ltd. and The Peters, Fraser and Dunlop Group Ltd.

Figure

Figure 3: Whitehead, M. (1992) 'The health divide', in *Inequalities in Health*, p.230, Penguin Books Ltd. © Margaret Whitehead 1988, 1992. All rights reserved.

Cover

Image copyright © 1996 PhotoDisc, Inc.

STUDY SKILLS INDEX

IWB = *Introductory Workbook*
WB1 = *Workbook 1*
WB2 = *Workbook 2*